L'INCONNU PARLE ENCORE

Du même auteur :

Avec ou sans amour, Le Cercle du livre de France, 1958, Robert Laffont, 1959.

Doux-amer, Le Cercle du livre de France/Robert Laffont, 1960.

Quand j'aurai payé ton visage, Le Cercle du livre de France/Robert Laffont, 1962.

Dans un gant de fer : la joue gauche, Le Cercle du livre de France, 1965.

Dans un gant de fer : la joue droite, Le Cercle du livre de France, 1966.

Les morts, Le Cercle du livre de France, 1970.

Moi, je n'étais qu'espoir, Le Cercle du livre de France, 1972.

La petite fille lit, Éditions de l'Université d'Ottawa, 1973.

Toute la vie, L'instant même, 1999.

L'amour impuni, L'instant même, 2000.

La brigande, L'instant même, 2001.

Il s'appelait Thomas, L'instant même, 2003.

24,95 $
2004/05

CLAIRE MARTIN

L'inconnu parle encore

roman

L'instant même

Maquette de la couverture : Isabelle Robichaud
Nous remercions Paul Béliveau pour son aimable collaboration.

Photocomposition : CompoMagny enr.

Distribution pour le Québec : Diffusion Dimedia
539, boulevard Lebeau
Montréal (Québec) H4N 1S2

L'instant même
865, avenue Moncton
Québec (Québec) G1S 2Y4
info@instantmeme.com
www.instantmeme.com

Dépôt légal
Bibliothèque nationale du Québec, 2004

Catalogage avant publication de la Bibliothèque nationale du Canada

Martin, Claire, 1914-

L'inconnu parle encore

ISBN 2-89502-197-X

I. Titre.

PS8511.A84I52 2004 C843'.54 C2004-940348-6
PS9511.A84I52 2004

L'instant même remercie le Conseil des Arts du Canada, le gouvernement du Canada (Programme d'aide au développement de l'industrie de l'édition), le gouvernement du Québec (Programme de crédit d'impôt pour l'édition de livres – Gestion SODEC) et la Société de développement des entreprises culturelles du Québec.

Pour changer du chagrin en un peu de bonheur à l'aide de la grammaire.

Jean D'ORMESSON.

J'AI ENCORE BIEN DES ANNÉES DEVANT MOI avant d'atteindre mes quarante ans et j'ai obtenu le poste que je voulais. J'ai le temps de vouloir encore plus, mais quand les choses vont bien ce serait téméraire de rêver d'un sort meilleur.

Tous les matins, en arrivant, je passe devant la réception. Assises derrière la table où les livres reviennent ou partent, Mariette à un bout et Céline à l'autre me saluent respectueusement, il me semble. Il n'y a pas un jour que je ne pense au visage de bois du patron quand c'était moi qui tenais la place de Mariette ou de Céline. Aussi m'efforcé-je de leur sourire un peu plus qu'aimablement, affectueusement, pour le plaisir simple de ne rien faire de ce que faisait cet homme haïssable ;

celui aussi de me faire aimer plutôt que détester.

J'ai été assise là durant deux longues années. Fastidieuses. La mauvaise humeur, c'est très contagieux. Tant que ce vieux hibou a occupé le bureau patronal, on n'a guère vu de visage souriant ici. Puis il a pris sa retraite. Nous lui avons fait une petite fête avec des sentiments très mêlés. Nous étions tous contents de le voir partir, ce qui nous faisait le visage souriant, mais aucune envie de lui parler de regrets, de souvenirs ineffaçables et de gratitude éternelle.

Celui-là parti, je suis rapidement passée au bureau des achats où on décidait du choix de chaque livre selon ses valeurs intellectuelles et matérielles. J'y ai été appréciée à la mienne, on peut le dire, les pages littéraires des grands magazines aidant.

Après trois années passées à estimer, classer, répertorier, cataloguer chaque livre selon des instructions strictes, j'ai demandé ma mutation à la comptabilité. C'était moins passionnant, mais j'avais mes raisons. Ce que j'ai appris là me permet, le cas échéant, de savoir de quoi je parle. En plus de l'expérience acquise sur le tas, je suivais des cours d'administration quelques soirs par semaine.

Entre-temps, nous avions par deux fois changé de patron. Le premier avait de nombreuses qualités d'administrateur et un défaut assez démodé maintenant : il croyait avoir des droits étendus sur le jeune personnel féminin. Pour ne pas dire « droit de cuissage » qui nous paraissait vulgaire de trop, nous murmurions « droit de jambage ». Ce droit semble archaïque à présent, ces choses n'étant plus considérées comme allant de soi.

Nous assistions parfois à des sorties bruyantes, les portes qui claquent, regards indignés ou sourires moqueurs, ou même airs triomphants, c'était les plus naïves. Enfin, cela n'arrivait pas tous les jours, ni même toutes les semaines, cela dépendait des saisons, les modes d'été étant plus incitatives. Parfois, l'événement était cocasse. Une de nos stagiaires qui sortait de ce bureau périlleux alors que j'allais y entrer m'arrêta, furieuse en me montrant une boutonnière orpheline sur le devant de son corsage bleu. « Le grossier personnage, quelle brute ! » La colère lui enflammait les joues. Je frappai à la porte directoriale, bien fort, on ne sait pas ce qu'on pourrait voir, j'entrai et, là, sur la moquette, c'est un petit bouton bleu que j'aperçus. Je le ramassai, mine de rien, le mis dans ma poche et déposai ce que j'apportais en murmurant : « Le rapport des sorties. »

– Je vous remercie beaucoup, me dit la petite quand je lui remis son bien. Autrement, je serais allée le prendre en laissant la porte grand ouverte.

Elle était charmante dans sa colère, son chemisier entrebâillé. Le stage s'achevait avec l'été. La « direction » ne l'a pas retenue.

Il semble qu'on avait eu à se plaindre de ce patron-là de toutes les façons, car il fut rapidement remplacé. Je suis devenue l'assistante de celui qui suivit, un homme séduisant, beau visage un rien potelé, ce qui lui donnait l'air jeune un peu plus qu'il n'était. J'avoue qu'il me plaisait beaucoup. C'est au début de son mandat que je passai du statut de femme mariée à celui de femme abandonnée. C'était cette dernière, j'ose le croire, qui accorda quelques baisers assez fougueux à ce séducteur lors de petites fêtes données à l'occasion du départ de l'un, du mariage de l'autre, de Noël, quoi encore ? Ces célébrations suscitent des entre-deux-portes qu'on s'efforce d'oublier le lundi matin. Le soir de sa fête de départ, il m'a dit des choses charmantes de sa voix experte à convaincre et à troubler pour rien, juste pour laisser un bon souvenir. Il exerce son métier quelque part au loin dans je ne sais plus quelle province maritime. Je ne l'ai plus revu.

Me voilà donc directrice à mon tour. Treize années d'apprentissage – vite racontées – ce n'est pas trop, mais c'est bien assez aussi ! Je commençais à me sentir mal assise sur tous les autres sièges que celui où je suis arrivée. La bibliothèque est arrivée, elle aussi, à une importance plus grande à la suite de la ville qui a pris de la surface et de la hauteur. Il y reste quelques bonzes qui ont soupiré : « Alors que notre ville devient plus considérable, il a fallu qu'on s'embarrasse d'une femme comme patron de la bibliothèque. » Il y en a qui ont même projeté de faire circuler une pétition pour qu'on me remette à ma place, ce qui a suscité quelques articles fort ironiques dans nos journaux du genre de « nos barbons décrépits ont toujours voulu évincer les femmes du monde des livres ». Ce qui m'a fait quelques ennemis de plus parmi lesdits barbons.

Ma place ? Suis-je là pour longtemps ? J'essaierai de séduire tous ceux qui voudraient me voir ailleurs. Quand j'étais petite je prenais comme ça de bonnes résolutions au début de l'année. Elles étaient toujours d'ordre moral et rarement tenues. Comme assistante du directeur j'ai eu largement le temps de connaître les complications, les tracasseries, les problèmes et d'apprendre que cela marche souvent de front avec une tendance à s'agglutiner. Il y aura des satisfactions, sans aucun doute... Cette place, je l'ai trop voulue pour me mettre à douter.

J'ai commencé par profiter du dimanche, quand tout est désert – il n'y a que le gardien faisant ses rondes –, pour occuper mon bureau de façon critique, regarder chaque chose, me demander si je voulais cela, ce gros meuble, ces rideaux épais, tout cet ensemble sans grâce, ce divan qui a connu les histoires de certains de mes prédécesseurs. Je me suis assise sur leur chaise et, contre mon attente, je m'y suis trouvée fort mal. Je mesure un mètre soixante. La table de travail m'arrive en dessous du nez. Voilà ce que c'est que de choisir une femme à la direction !

Il y a en bas une petite réserve de meubles. Je ne la connaissais pas bien, mon travail précédent ne m'y conduisant pas. J'y avais entrevu des meubles, quelquefois. Nous appelions ça le fourre-tout, mais nous écrivions « le garde-meuble » s'il fallait en parler dans une lettre. Avant de faire une demande, j'ai voulu voir ce qu'il y avait là. Tout au bout du corridor, j'ai aperçu le gardien qui avait, ma foi, l'air de m'attendre. En effet, il s'était assis là parce que je pouvais avoir besoin de lui, m'a-t-il dit. Il avait – il a toujours – une bonne tête, des yeux d'épagneul tout dévouement. Il me montra le chemin, en faisant tintinnabuler ses clefs.

– Il y a ici un beau bureau plus à votre taille et bien fait pour une femme, quelque chose de joli.

Bois noir. Je ne sais si c'est un bois précieux, je ne m'y connais pas, si ce n'en est pas, c'est bien imité, dessus en cuir fauve qu'il a appelé un tablier, coins dorés. Une housse l'avait préservé de la poussière. Puis il a découvert un siège qui me parut confortable et je remontai à ce que je n'osais plus nommer la direction depuis que j'y étais.

Je m'occupai moi-même, avec l'aide de ce bon gardien, de mettre mes choses dans des cartons pour qu'elles soient transportées dans mon nouveau bureau. J'ai horreur qu'on tripote mes affaires, qu'on lise mes petites notes, peut-être mes papiers, mes carnets. Je n'ai jamais cru à la discrétion humaine. La curiosité nous fait souvent connaître des choses qu'on aurait préféré ne jamais savoir, mais là n'est pas la préférence de tout le monde !

J'ai appris bien d'autres choses depuis que je travaille dans cette bibliothèque. Au début, quand j'étais assise à la réception des livres de retour – et d'emprunt aussi –, je me suis aperçue qu'il n'y avait pas que de doux rêveurs silencieux chez l'espèce lectrice. Il y a aussi les impayables qui parlent, parlent. S'ils sont franchement drôles on rit avec eux, mais s'ils le sont sans le vouloir... Lire un roman est parfois, pour certains, une aventure qui touche à la consultation avec un psychologue ou mieux à une séance chez la voyante. Ils vous le racontent par le menu. « C'était comme s'il me connaissait intimement, comme s'il parlait de moi. » Cela recommençait chaque fois. « Vous êtes de l'étoffe dont on fait les personnages de roman », finissais-je par dire si cela durait trop. La plupart du temps, prisonnière sur ma chaise, j'écoutais patiemment.

La patience, c'est peut-être elle qui m'a menée jusqu'où je suis, patiente avec les abonnés, les collègues, les patrons, avec moi-même aussi !

Ce dimanche, j'ai quitté la bibliothèque à la fin de l'après-midi. Comme d'habitude, j'ai fait la moitié du parcours à pied – je n'attrape l'autobus que si la fatigue m'y oblige –, par hygiène, pour réfléchir, seule, à mes petits soucis, mes projets, pour rester mince, alerte de corps et d'esprit. Je vis dans un quartier tranquille, assez loin de mon travail. Je suis d'une nature un peu sauvage, je cache ma tanière.

D'autre part, le climat qui existe à la bibliothèque est plutôt chaleureux. L'amitié ne m'a jamais été comptée et ma nouvelle situation ne m'y a valu que des propos aimables, les autres venant de l'extérieur. Parmi les relations d'affaires, ce ne fut que félicitations par téléphone, par courrier et surtout par le truchement du fleuriste. J'ai été fêtée chez les collègues.

– Viendrez-vous seule ? m'a demandé l'organisateur de ces réjouissances.

– Oui, bien sûr.

Il est le seul à travailler ici depuis plus longtemps que moi. À la comptabilité, il a été mon chef. Dans ces années-là, ma situation était bien insignifiante, mon sort n'intéressait pas et ma vie personnelle non plus. La question ne s'est plus posée.

Quand j'entre, il me semble retrouver des odeurs flottantes, Cologne, tabac ou café, chocolat, et d'autres plus douteuses à mi-chemin entre les médicaments et la sueur. Les odeurs, bonnes ou mauvaises, me poursuivent. Celles-ci me traqueront longtemps, je le crains, et quand elles se seront dissipées, ma mémoire les conservera. Ah ! je viens de retrouver à l'état vif, par les mots « odeur » et « mémoire », la senteur mouillée de pelure d'orange et d'eau répandue, près du lavabo de la salle de récréation – comment pourrais-je l'oublier jamais puisqu'elle me revient sans même y penser chaque fois qu'il s'agit de la pérennité d'une odeur dans la mémoire. Hélas ! le pensionnat n'est pas un souvenir heureux. Ce que je respire en entrant chez moi n'en sera pas un non plus.

Tout est silence, la maison serait déserte, ce serait pareil. Je passe d'abord par la cuisine, j'ouvre le réfrigérateur, je sors le fromage, je me lave les mains, je me repoudre, je fais durer ce moment qui ressemble à la quiétude et que je ne retrouverai complètement que demain, puis je monte.

– Comment vas-tu ?

– Assez mal, merci.

– Descendras-tu pour le dîner ?

– Oui. Peut-être. Je ne sais pas.

– C'est comme tu veux.

Ce seront les seuls propos échangés au cours de la soirée. Il descendra, il descend toujours.

En effet, il arrive presque tout de suite, car il est tard. Je suis encore à m'affairer dans la cuisine. Il ne s'assied pas au salon, il prend tout de suite sa place à la table d'où il me regarde par la porte ouverte. Il a un air d'impatience, il joue avec ses ustensiles, les replace à son idée, au contraire de l'usage, il retourne le couteau la lame vers l'extérieur et met la cuillère à potage à la place de la cuillère à dessert. Je pense qu'il veut me laisser entendre que je ne fais rien comme il se doit, ou bien qu'ayant beaucoup voyagé, il a appris de meilleures manières ailleurs. Pour finir, il s'empare de la carafe et remplit son verre à ras bord.

Au début, ces comportements m'irritaient au plus haut point, maintenant, ils ne suscitent que ma pitié, non pas la pitié chaleureuse parente de la bonté, l'autre, celle qui fait rire, ce qui est parfois difficile aussi. J'apporte les deux assiettes servies dans la cuisine – quand je servais à table, il ne recevait jamais ce qu'il aurait souhaité – et je me prépare mentalement à ne pas le regarder manger, à ne pas l'entendre surtout. Là-dessus, je me dis que je pourrais ne pas servir de potage. Je le fais à l'avance par commodité et j'essaie de ne pas l'écouter humer bruyamment, ce qu'il ne faisait pas autrefois. Comment l'aurais-je supporté ?

Je lui suis reconnaissante, si on peut dire cela, de ne pas parler. Les premiers jours, après son retour, il me racontait quelques-unes de ses aventures vécues pendant ses années d'errance, la plupart étaient si choquantes que je lui ai demandé de ne plus tenir de ces propos pendant les repas. Depuis, il garde un silence boudeur.

Et pourtant, avant ces six années qu'il a passées je ne sais où, pas la moindre idée, il y a eu, assis face à moi, de l'autre côté de cette même table – sauf les samedis et les dimanches où, pour fêter le farniente, nous nous asseyions l'un près de l'autre –, un homme jeune, séduisant, disert. J'avais vingt ans, vingt-deux ans, vingt-cinq, chaque jour le ramenait comme il me ramenait moi-même. Il était là pour toujours. Nous l'avions juré. Je ne me lassais pas de la vue de ce visage à la matière alors douce et serrée qui laissait à peine deviner l'ossature régulière. S'il tournait un peu la tête, c'était l'arête toute droite du nez qui faisait plaisir à voir. Il avait une façon de se tourner tout en me regardant du coin de l'œil qui me faisait tordre de rire. C'était la vie douce et tendre.

C'était la belle vie, oui. Il avait un bon travail, le mien s'améliorait tout doucement, nous avions une maison, je l'ai toujours. Elle serait plutôt habitée par le souvenir du jeune homme charmant que par celui qui est là, à présent : le nez s'est courbé, la bouche s'est entourée d'une parenthèse creusée du nez au menton, les cheveux, n'en parlons pas, les dents blanches non plus. La peau du visage a considérablement bruni elle aussi, cuite sans doute par des soleils lointains. Seule la voix a conservé son registre. Un peu de raucité, toutefois. Je n'ai plus de nostalgie, juste le souvenir parce que je n'ai pas pu tout oublier.

L'été, la bibliothèque fonctionne au ralenti. Nos abonnés désertent pour la campagne, la plage. D'autres vont outremer de plus en plus souvent. Au lieu de lire paisiblement, ils vont rejoindre la horde des touristes. Nous en profitons pour rafraîchir une salle ou deux. Le personnel prend ses vacances d'été par roulement. Autrefois, nous partions toujours, tous les deux, le vendredi soir après le travail et il arrivait que nous ayons dix-sept jours de vacances pour deux semaines de cinq jours, ce qui nous a permis de beaux voyages dont il était le compagnon imaginatif rêvé.

Je n'aime plus conserver des objets qui me rappelleraient les vieux bonheurs fanés. Je n'ai pas gardé les babioles achetées à Paris, Florence, Venise ou Istanbul, mais j'ai dans mon petit tiroir fermé à clef les talons des billets de la croisière en Méditerranée et le plan du bateau sur quoi un X marque notre cabine. Souvenir d'amour, oui bien sûr, mais d'amour mort comme les cartes bordées de noir à la mémoire du cher disparu dont la photo toujours un peu ancienne souriait une dernière fois, et qui s'empilaient les unes sur les autres au fil des ans. J'avoue que je n'ai pu jeter la mèche de cheveux dans le médaillon d'argent dont la logette était faite pour recevoir ce genre de reliques. Je ne le porte plus depuis longtemps, il ternit dans le tiroir. Tout cela, ce fatras périmé, ô combien, voisine avec les papiers qui témoignent du divorce obtenu sans encombre après les cinq années de désertion. C'est la loi.

Ma première journée dans le bureau directorial, je ne l'oublierai pas. Bien sûr, il pleuvait, mais tant pis ! Accueillie dès l'entrée par une petite délégation, je fus reconduite à ma porte, je ne dirai pas en triomphe, très chaleureusement, c'est bien assez, des fleurs sur mon bureau tenaient lieu de beau temps. Je ne dirai pas que j'étais arrivée à la réalisation de toutes mes ambitions car j'espère faire mieux je ne sais où, ni quand, ni comment, un jour... Un jour un peu lointain. J'entends bien prendre le temps d'exprimer tout le suc de ma situation actuelle. Je n'en ai pas fini. Le temps qui passe m'apporte des difficultés souvent, mais des plaisirs encore plus, des amis nouveaux, des invitations, des sorties, des voyages aussi peut-être ? Tout cela à caractère culturel et c'est ce qui m'amuse le plus. Il se peut même que cela me ramène en Méditerranée, il en est question si les événements ne s'y opposent pas. D'autre part, ces voyages exigent une préparation longue et compliquée. On veut rencontrer des personnages utiles – il faut justifier on sait bien quoi sans prononcer des mots obscènes – aux bons endroits et aux bons moments. Il ne s'agit pas seulement de rêver devant les ruines d'Éphèse ou les colonnes de Karnac, même si cela vous remue profondément. Il faut rapporter des résultats probants, projets d'exposition de livres anciens, de manuscrits précieux, d'échanges divers. En attendant, je peux toujours rêver de revoir la Méditerranée pour sa beauté seulement. Et puis, j'allais n'y plus penser, il faut que, chez moi, la situation se soit corrigée, enfin il faudrait... Ce n'est pas dit. Je pense parfois avec terreur que cela peut durer, durer, je n'ose écrire des années, je craindrais de m'attirer la guigne. N'y pensons pas trop.

Dès les premiers jours de mon directorat – ce mot me gargarise ! – j'ai inauguré une nouvelle coutume dans l'établissement. Je m'étais fait souvent la réflexion qu'il n'y a, la plupart du temps, que les deux jeunes femmes du comptoir de prêts et de retours pour échanger avec les abonnés quelques propos. (Je note que, malgré la mode, ce verbe, pour moi, reste transitif.) Cette réflexion m'a inspiré l'idée de faire de courtes tournées dans une salle ou l'autre de la maison. À des heures diverses, je m'y promène, je fais l'aimable : deux mots ici, un sourire là et même, parfois une brève conversation. Cela peut être fort plaisant, par exemple, j'ai parlé un peu longuement avec un homme élégant qui m'avait l'air de faire une recherche plutôt que d'être là pour lire. Un jour, il s'est levé et s'est avancé. Comme je lui tendais la main, il s'est incliné pour un baisemain très mondain.

– Je vous félicite, madame, votre bibliothèque est excellente. J'y ai trouvé ce que je cherche et de façon abondante.

Bref, au cours de conversations de plus en plus longues et qui se sont parfois continuées, après mes heures de travail, dans un bar feutré et ombreux presque voisin, il m'a confié qu'il avait l'intention de se défaire de la partie romanesque de sa bibliothèque privée et m'a demandé si nous acceptions ce genre de donations.

– Assurément, nous vivons presque pour moitié de mécénat. Les dons de livres de qualité que nous ne pourrions pas toujours trouver nous sont précieux.

– Parmi ces romans, il y en a beaucoup qui m'ont été donnés par l'écrivain Évariste Barois.

– Ah oui ? Vous le connaissez donc bien ? Comme c'est intéressant ! Je ne l'ai jamais vu qu'à la télévision.

– Je vous l'amènerai. Or donc, il avait décidé lui aussi, il y a quelques années, de se défaire de cette partie de sa bibliothèque. Ni lui ni moi n'avons rien contre le roman, mais il s'en publie tellement qu'on finit par être débordé. Il m'en a donné quelques douzaines, il y a cinq ou six ans. Je suis débordé à mon tour.

C'est ainsi que notre bibliothèque a reçu tout un chargement de plusieurs centaines de romans. Certains seront gardés à part à cause de leur ancienneté et ne devront pas être lus ailleurs qu'ici même après signature dans un registre. Nous avons peu de livres précieux, nous ne les laissons jamais sortir. C'est, au reste, ce qui se fait dans toutes les bibliothèques.

J'ai fait déposer cet arrivage dans une petite pièce où il y a chaises et table, j'y ferai l'examen de chaque volume l'un après l'autre pour toutes les vérifications nécessaires. Je m'en fais un plaisir. Ce n'est pas partie de mon travail habituel, mais l'intérêt, la curiosité surtout, m'empêcherait de confier ce travail. Que lit Barois ? Ou, du moins, que lisait-il il y a une vingtaine d'années ? Comment lisait-il ? Pour lui seul ou bien le stylo à la main, pour souligner, apposer un commentaire, un assentiment, un désaccord destiné peu ou prou à l'exégète éventuel qui trouvera ses livres peut-être ici même, vers 2050 ? Je sais qu'il a publié un carnet de notes de lecture. Nous n'avons pas ce carnet ici. Chez son éditeur, on m'a répondu que c'était épuisé. « A-t-on l'intention de rééditer ? » Là-dessus, un petit gloussement très significatif, puis : « Pas du tout ! » Pas seulement des amis, ce monsieur Barois !

J'ai rapporté ce propos à son ami – il s'appelle Maxime Gervaise – qui n'a pas eu l'air étonné. Le cher Évariste a mauvais caractère et s'est fait beaucoup d'adversaires. Le mot ennemi n'a pas été dit, c'est un mot fort, mais il a peut-être été pensé. Barois, c'est notoire, a connu de grands succès, les ennemis sont venus avec. Puis il a eu des malheurs familiaux dont les journaux du temps ont parlé. C'est bien suffisant pour avoir mauvais caractère.

De ce côté, rien ne me presse. Je vais commencer par établir des listes, carton par carton. J'ai là une occupation nouvelle pour une saison au moins.

Je rentre à la maison de plus en plus tard, car le travail m'y oblige. Je n'aime pas tomber dans ce travers fréquent qui fait trouver mauvais tout ce qui a été fait du temps du prédécesseur. J'étais son assistante, je veux croire qu'une partie du travail a été faite comme il se doit. Néanmoins, il est incontestable qu'il y eut des négligences. Je trouve dans les dossiers des lettres laissées sans réponse, par exemple, justement dans celui des dons de livres.

La semaine dernière, par deux fois, je ne suis rentrée qu'à huit heures. Toujours la même routine. Je monte.

– Comment vas-tu ?

– Assez mal, merci.

– Vas-tu descendre pour le dîner ?

– Je ne sais pas, oui, peut-être.

– C'est comme tu veux.

Avant de descendre, un soir, je passe par ma chambre – qui fut notre chambre, je suppose qu'il y pense parfois – pour changer de vêtements. Le tiroir où je range mes dessous a été ouvert et pas trop bien refermé. Les choses ont été un peu bousculées. Je ne sais pas si c'est déjà arrivé sans que je le voie, je ne suis pas toujours attentive. Des dessous, j'en ai de toutes les couleurs. C'est la petite noire qui manque, bien sûr, on n'est pas plus original qu'il ne faut. Pauvre homme ! De toutes petites perversions, cela lui va, les plus banales, les plus tristes, et j'imagine que les motifs de sa fugue furent de la même eau. Est-ce que je retourne pour réclamer mon bien ? Il est déjà humilié de reste, rien qu'en se regardant dans le miroir, visage décharné et jauni, sans compter le corps que je n'ai pas revu, mais que je devine. Comme le visage, sans doute, comme le visage !

À table, silence de même que tous les soirs. Il me semble qu'il a un air vaguement goguenard. Comme je retourne à la cuisine pour prendre le dessert, je l'entends pouffer de rire. En lui tendant son assiette je dois avoir l'œil inquisiteur.

– Je ne suis pas fou. Je m'amuse.

– Eh bien ! tant mieux.

– Non, pas tant mieux. J'ai compris, maintenant, qu'il fallait que je m'ennuie à mort. C'est ça qui serait tant mieux.

Je ne réponds pas. Quoi dire ? Je pense qu'il cherche à déguiser le motif de son petit larcin en bonne blague innocente. J'ai envie de lui demander ce qui est arrivé pour que le beau garçon que je m'étais mise à aimer dès notre première rencontre, assez pour l'épouser, alors que je ne suis pas très chaude pour ce genre de célébration, soit devenu une caricature du passé, physiquement, mais mentalement encore bien plus. Il ne fait rien. Il n'a pas lu un livre depuis qu'il est là. Il les dévorait autrefois. Je le trouve tous les soirs étendu sur son lit, quelquefois endormi. Je suis parfois restée à le regarder jusqu'à ce qu'il s'éveille. Ce n'est pas beau à voir, mais c'est une bonne thérapie. Je me dis : « Voilà ce que mon souvenir d'amour est devenu. » C'est toujours l'histoire du plomb vil et de l'or pur que nous nous amusions à tourner à l'envers quand nous étudiions Racine.

– Comment vas-tu ?

Cela pourrait durer plusieurs années, beaucoup d'années, il serait toujours « assez mal, merci », mais dans la durée. En vérité, il ne m'embarrasse guère pour le moment. Je ne lui rends que les soins indispensables, il est nourri, blanchi, chauffé, comme on disait des pensions d'autrefois, maintenant il range sa chambre, refait son lit de temps en temps et le reste. Une aide passe chaque quinzaine qui lui fait les cheveux, les mains, les pieds. Elle change son lit, vérifie son linge qui ne comporte que pyjamas et robes de chambre. Elle alerterait le médecin s'il le fallait. Autrement, il vient une fois le mois. Non, c'est dans l'avenir que ça pourrait m'être insupportable.

À la bibliothèque, je continue d'examiner les livres donnés par Maxime Gervaise. Certaines brochures assez anciennes n'ont pas été complètement coupées, l'intérêt s'est perdu en route et Maxime n'a pas été plus tenté que le premier propriétaire. Condamnation complète ! Selon les apparences Évariste Barois se servait de ce qui lui tombait sous la main pour faire office de signets : cartes de visite et cartes à jouer, formules de chèque, petites notes et vraies lettres aussi. Il y en a même qui sont signées par l'auteur du livre. Ce sont des remerciements pour les propos aimables que Barois avait publiés dans des revues littéraires quand il était, comme il l'avoue, « apprenti-critique », de sorte que nous avons en notre possession, dans ce cas trop rare – cinq ou six –, une sorte de dossier : le livre, l'article de Barois, les remerciements de l'auteur, tout cela dans des termes d'une politesse extrême. Heureux temps ! Il me semble que si Maxime Gervaise avait même seulement feuilleté tous ces romans, il aurait retiré ces signets. Je n'en ai examiné jusqu'ici qu'une vingtaine, la récolte n'est pas finie.

Un jour, je demanderai à M. G. pourquoi il n'a pas lu, de toute évidence, la moitié de ces romans. Je suppose que ce cadeau considérable ne correspondait pas trop à ses goûts. Peut-être les vendrons-nous dans quelques années s'ils n'ont pas été demandés suffisamment. C'est de cette façon qu'un écrivain, sur son vieil âge, trouve quelques-unes de ses œuvres sur des étagères de bouquiniste, avec la dédicace – amicale ou tendre, respectueuse ou indiscrète – toujours là en page de titre, comme un reproche, qui a été lue par combien de propriétaires provisoires qui parient sur l'identité du dédicataire.

Si cette collection Barois-Gervaise m'intéresse autant, j'ai pour cela de multiples raisons : la personnalité du premier possesseur d'abord, connaître ses goûts, ce qu'il avait gardé de la bibliothèque de sa mère, ce qu'il achetait, ce qu'il recevait de la part d'écrivains amis qui publiaient il y a vingt ans, comment il a traité ce livre offert : bien (reliure), avec passion (il a été lu et relu, cela se voit), délaissé (il semble n'avoir même pas été ouvert). Sur une centaine de romans, bien sûr, tout ne peut pas plaire, il y en a plusieurs qui ont gardé la carte de l'éditeur entre les pages, ceux-là n'ont pas été choisis. Je sais que Barois est un être secret et j'ai le sentiment de fureter dans son mystère avec une très grande indiscrétion.

Quand je suis fatiguée de la routine qui peut être bien quotidienne, comme disait de la vie Jules Laforgue, je pars faire la tournée des salles de lecture. Il y a toujours quelques vieux qui semblent lire les revues mais qui somnolent, en réalité et, surtout, attendent que la journée s'achève. Ils ne sont jamais nombreux, je n'interviens pas. Dans mon for intérieur, je les appelle « les réfugiés ». J'en vois, rarement, qui ont l'air d'avoir découvert une planque chauffée en hiver, fraîche en été. Ils ne cherchent plutôt, je pense, qu'un ailleurs. Ils refusent de passer le jour là où ils passent la nuit, ce qui est, déjà, bien assez pénible. Ils sont propres sur eux, mais les visages, souvent, sont en désordre.

Ceux-là me font pitié, d'autres, envie, je les appelle « les savants ». Ils ont devant eux du papier pour écrire des notes et, tout autour, des piles de livres, des in-folios qui occupent beaucoup de surface, des carnets, des stylos, des loupes. Il y en a un qui se lève quand je passe et ne manque pas de glisser ses doléances. Il n'a pas trouvé ce qu'il cherche depuis des jours...

– Vous devriez voir sur Internet.

Il me regarde, l'air désarçonné.

– Et le plaisir de la recherche personnelle, qu'est-ce qu'il devient ?

Il appuie à l'écraser sur le mot « personnelle ».

Mon grand-père devait avoir cet air-là, quand on lui suggérait de téléphoner : « Et le plaisir d'écrire une lettre, de recevoir une réponse ? » Il est vrai qu'il a laissé une correspondance importante où il y a des lettres d'amour, comme dans toute correspondance qui se respecte.

Seulement, elles ne laissent pas dans l'oreille le souvenir ineffaçable de la voix, l'intonation subtile, la douceur du petit tremblement peut-être, quand on a bonne mémoire et bonne oreille. On peut choisir le redoublement des plaisirs plutôt que leur raréfaction, écrire une lettre d'amour pour s'annoncer, afin qu'un plaisir procède de l'autre.

Où en étais-je ? Oui... le vieux savant. J'espère qu'il prendra beaucoup de temps à trouver. J'aime le voir là, il me console du culte de l'ignorance qui se pratique de la façon que l'on sait. Pour lui prouver ma considération, j'ai cherché sur Internet et j'ai trouvé plusieurs titres réservés qui lui seront utiles. Je les lui donnerai la semaine prochaine. Auparavant, je vais voir dans la réserve où, au contraire de ce qui se fait de plus en plus, nous gardons, non répertoriés, de vieux livres qui rendraient leur dernier souffle s'ils étaient laissés en circulation quelques semaines encore. Leur état est précaire, mais leur contenu est toujours précieux.

Le plaisir de la nouveauté ! Je me souviens de ces premiers mois avec bonheur et nostalgie à la fois. Ma bibliothèque, j'y étais attachée depuis des années, mais les sentiments ne sont plus les mêmes et, comme dit Maxime, « la moquette non plus ! » Auparavant, personne ne m'avait révélé l'existence de la réserve dont j'ai déjà parlé et où, il me semble bien, personne n'allait prendre quoi que ce soit, non plus que dans « l'enfer » pour ainsi dire oublié là, avec ses interdictions démodées. J'ai vu dans nos archives que, lors de l'abolition de l'Index, il y avait eu quelques discussions à propos de cet « enfer » et de son utilité. C'était vers 1966. Le directeur du temps, qui était un bibliothécaire de l'espèce archiviste également, avait mis une note demandant la conservation de ces documents. La petite pièce où se trouvent encore quelques exemplaires « défendus » s'est empoussiérée avec le temps. J'imagine que ceux qui la fréquentaient après 1966 se sont servis à même ces reliques, car elles sont peu nombreuses. J'ai découvert un carnet, faisant office de catalogue, où sont consignés les titres des livres condamnés. Cela fait sourire. Au reste, nous avons plusieurs de ces titres sur nos rayons réguliers dans des éditions plus récentes, Baudelaire, Diderot, Rabelais, Sade et quelques autres qui, eux, n'ont pas traversé le temps. Ne subsistent sur les rayons infernaux qu'une vingtaine d'auteurs dont les noms ne rappellent presque rien. C'est dire que les titres... Je tire au hasard *Monsieur Vénus* par Rachilde – l'abbé Mugnier parle d'elle de façon fort piquante –, beau livre relié où il y a même une dédicace de l'auteur. On se demande par quels détours, quels circuits mystérieux, il est arrivé ici. J'ai fini par découvrir aux dernières pages du carnet qu'il faisait partie d'un lot à nous laissé par la succession d'un médecin qui fut célèbre ici. C'était au temps où en finissant son cours universitaire, on allait se spécialiser en France : « Ex-interne des Hôpitaux de Paris », pouvait-on lire sur les plaques d'identité près de la porte d'entrée. Chacun rapportait dans ses valises – en même temps que, souvent, une nostalgie jamais guérie – des livres qu'on n'aurait pu trouver ici, qu'ils aient été trop savants ou trop lestes. Il est là, *Monsieur Vénus*, sur le rayon infernal. Je le lirai, un de ces quatre matins. Pour le moment, je le remets là où il dormait.

Il n'y a pas que l'enfer. J'allais dire il y a le ciel en découvrant ailleurs – mais je vois qu'ils faisaient également partie de la succession du docteur X, toutefois ils n'ont pas été placés, et pour cause, sur les mêmes rayons – en découvrant, donc, des œuvres de Fénelon : le *Traité de l'Éducation des Filles*, et de saint François de Sales, *L'introduction à la vie dévote*. J'ai été d'autant plus étonnée de trouver ces titres comptés dans le carnet avec *Monsieur Vénus* que je me rappelle les avoir lus tous les deux quand j'étais au pensionnat, d'avoir savouré, dès ce jeune âge, la beauté de la langue de Fénelon et surtout celle de François de Sales qui m'avait totalement convertie... à la beauté du style. Je suppose que le docteur X avait généreusement pensé à sa maman et à sa tante religieuse en faisant ses achats à la librairie parisienne. Il y a dans ce lot d'autres livres pieux mais de qualité (j'aime bien ce « mais » qui m'arrive spontanément) et d'autres licencieux à souhait – *Les bijoux indiscrets* de Diderot, jolie reliure.

Il est bien dommage que tous ces livres, de quelque espèce qu'ils soient, restent sur les rayons, ignorés des amateurs qui fréquentent notre maison. Il serait difficile d'agir autrement. Comment faire part à certains de nos habitués, et non à d'autres, que la réserve leur est accessible ? J'en parle à Maxime Gervaise avec qui je vais prendre un verre, un soir après le travail. Nous avons bien ri en imaginant de petites lettres cérémonieuses envoyées aux lecteurs avisés : « Cher monsieur, vous avez été choisi par la direction pour profiter de la mise à la disposition de certains lecteurs, des livres autrefois confinés à l'enfer de la bibliothèque. » Et Maxime d'ajouter : « Il faudrait mettre « Personnel » sur l'enveloppe pour prévenir les indiscrétions. »

– Vous souvenez-vous de votre promesse de me présenter Évariste Barois ?

– Je tiendrai, mais il faut d'abord qu'il soit là. En ce moment, il fait une tournée de conférences. Il est beaucoup demandé maintenant.

– Pourquoi « maintenant » ?

– Parce qu'il est à un moment de sa vie où la renommée impose, en quelque sorte, des obligations diverses qui sont plus du domaine mondain que culturel. C'est le sort de ces activités, parfois. Comme il est brillant et spirituel, on lui demande d'amuser tout en instruisant selon une formule exigeante.

– Comment trouve-t-il le temps d'écrire ?

– Il ne voyage pas sans son ordinateur portable. Il écrit partout où il n'est pas astreint à parler : le train, l'avion, l'autocar, les soirées à l'hôtel. Il revient chez lui avec tout un chargement de texte prêt à s'insérer dans le livre en formation.

– Vous le connaissez très bien...

– Je n'en suis pas certain !

Je suis demeurée perplexe, ne sachant quoi dire. Lui non plus, je pense, ne savait comment continuer la conversation après cet aveu qui n'avait pas été fait avec une intonation banale, bien au contraire. Il n'avait pas dit « certain » comme n'importe quel autre mot. Je restais silencieuse.

– Il est tard, je dois vous quitter. La prochaine fois, nous reparlerons de Barois, mais à un moment où je serai mieux... préparé. Je vous reconduis à votre voiture.

– Merci, ce soir je prends l'autobus, juste en face.

Il est venu l'attendre avec moi. Je sentais qu'il ne voulait pas me quitter sur cette impression un peu pénible, ambiguë plutôt. Quand l'autobus a tourné le coin de la rue, il m'a prise dans ses bras en disant gaiement : « Une fois, deux fois, trois, quatre » en joignant le geste à la parole. J'étais bien, j'avais envie de répondre « dix fois », mais l'autobus s'était déjà arrêté, la porte ouverte. Il a crié avant qu'elle ne se referme : « À la prochaine fois. »

Au lieu de repenser tout doucement à ces quatre bécots, je me suis laissé intriguer par le ton qu'il avait eu pour avouer : « Je n'en suis pas certain. » Je me les rappelais comme j'aurais fredonné un petit air de chanson, mais ce n'était pas une chanson joyeuse. Ce détail me chicotait tant il semblait bien s'insérer dans tout ce que je sentais d'ombreux autour de Barois. Assurément, le drame de sa vie l'a rendu comment dire ? opaque et peut-être insensible aussi. Mais qu'en est-il de ce drame ? Depuis le temps, j'en ai oublié le détail. Si jamais j'ai un moment pour consulter nos journaux de l'époque, je devrais retrouver cela.

L'autobus filait bon train sans que j'y fasse attention et j'aurais bien continué jusqu'au terminus.

– Nous sommes arrivés, madame, dit en me touchant l'épaule un de mes voisins. Excusez-moi, j'ai vu que vous rêviez.

Nous avons fait quelques pas.

– Il y a de la lumière chez vous. Vous n'avez pas peur que quelqu'un soit entré ?

– Mais non, ce doit être la femme de ménage qui a oublié d'éteindre. Ça lui arrive.

En réalité, je ne parle pour ainsi dire jamais à mes voisins. Je ne les fuis ni ne les recherche. Je navigue. Je ne cherche pas non plus à cacher complètement l'arrivée de l'intrus, ce serait bien naïf et bien difficile aussi. Je n'en parle pas, c'est tout. Je n'ai pas *une* femme de ménage, même si c'est ce que j'ai dit au voisin. Pour assurer l'entretien, j'ai choisi, il y a longtemps, une agence qui m'envoie, tous les samedis, une ou deux personnes, rarement les mêmes. Je leur donne un pourboire et je paie l'agence. « Il y a un malade dans la chambre d'amis, ai-je dit le premier samedi de sa présence, faites sa chambre aussi silencieusement que possible. » On ne me pose pas de questions et on fait la chambre sans qu'il bouge de son lit, comme n'importe quel malade.

J'étais en retard sur mon horaire, je suis allée directement lui parler, si on peut appeler cela parler.

– Comment vas-tu ?

– Assez mal, merci.

– Descends-tu pour dîner ?

– Oui, peut-être, je ne sais pas.

– C'est comme tu veux.

Il est aussi conscient que moi du côté narquois de cet échange de propos répétés, nous nous y tenons pour bien marquer les frontières, je suppose.

Comme il ne descendait pas, je me suis mise à table. J'avais presque terminé quand il est apparu dans l'embrasure de la porte. Il s'était habillé, de là son retard. Habituellement, il dîne en robe de chambre. J'ai bien deviné qu'il voulait susciter une remarque, un mot d'étonnement. Je ne cherche pas à l'humilier, je le dis souvent au médecin, j'ai donc fait un petit signe du menton.

– Tu me trouves plus élégant comme ça ?

– Pourvu que ça ne te fatigue pas.

– Justement, je me sens un peu mieux, ces jours-ci.

Mieux ? Pour le coup, il me terrifie. Il ne va pas se mettre en tête de redevenir un mari.

– C'est une assiette froide, ce soir.

– Parfait, comme toujours.

À la dérobée, autant que faire se peut, je le regarde. C'est vrai qu'il a meilleure mine. Je ne dirais pas qu'il a engraissé, mais le visage est moins creusé, l'œil moins charbonneux. Il mange avec appétit, il reprend même du pain, mais il est vraiment toujours aussi émacié, comme s'il avait quelque affection qui l'empêchât d'assimiler la nourriture. Quand je le vois si différent de ce qu'il fut, que je le compare au charmant souvenir et que je trouve devant moi un visage à la peau jaunie, un corps singulièrement allégé, j'en conclus qu'il a récolté, dans un des pays lointains où il est allé courir l'aventure pendant ces six années mystérieuses, un virus, une bactérie, que sais-je ? un parasite... Je pourrais en parler avec le médecin. Et puis après ? Je lui ai déjà raconté l'indispensable : c'est mon ex-mari, il est revenu en cet état après une fugue de quelques années. Rien de plus. Quand ils sont seuls, je présume qu'ils s'en disent un peu plus et que le médecin a voulu savoir où son étrange patient a passé ces années-là – souvent les maladies de langueur sont particulières à certaines contrées –, mais je n'interroge ni l'un ni l'autre. Vu les circonstances, l'indifférence la plus totale est la seule attitude convenable, il me semble.

Pendant que je dessers, il va s'asseoir au salon, ce qu'il fait rarement, mais il s'en va dès qu'il comprend que j'ai terminé le rangement. J'entends qu'il trébuche et qu'il tarde à reprendre pied. J'essaie par tous les moyens possibles de vivre comme si j'étais seule et ces vétilles m'en empêchent.

J'en étais là de mes réflexions quand le téléphone a sonné.

– Je voudrais parler à Jacques, s'il vous plaît.

– Je regrette, il n'y a personne de ce nom ici.

– Mais, madame, je l'ai vu entrer et sortir de chez vous plusieurs fois.

– Vous faites erreur, désolée.

Et j'ai raccroché. J'ai regagné le salon, assez bouleversée. Est-ce que Gontran reçoit la visite d'un individu du nom de Jacques à qui il ouvre la porte – prévenu de cette visite, il descendrait ouvrir ? De la rue, on pourrait le voir arriver ou partir ? Je tourne autour de cette idée : il peut s'agir d'une autre maison car elles se ressemblent toutes dans cette rue-ci ; s'il s'agit d'un ami qui vient le voir sans que je le sache, il a sans doute bien d'autres secrets. Puis il me vient une autre idée qui me fauche bras et jambes et qui m'assied brutalement sur le divan. S'il était ici pour se cacher ? Je n'aime pas le mot « peur », je n'aime pas qu'il puisse me mouiller les mains. Ce qu'il a rapporté de sa fugue, ce n'est peut-être pas seulement une santé délabrée.

Le téléphone sonne une ou deux fois la semaine, à peu près à la même heure. À l'autre bout, le silence, mais entre le vrai silence et celui-là il y a une nuance presque palpable. Je pourrais, à la rigueur, dire que celui qui est à l'autre bout, je l'entends se taire et je suppose qu'il le sait bien. Ce harcèlement, c'est une méthode connue de déstabiliser, d'obséder. Pour ma part, ce qui m'ennuie là-dedans, c'est que je ne puisse guère conclure autre chose que l'on s'occupe de Gontran d'une façon qui peut être menaçante et, semble-t-il d'après les appels, dans cette ville même. Quand je l'ai recueilli, je croyais recevoir un homme complètement seul, ignoré de la planète tout entière. Eh bien ! il paraît qu'il n'en est rien, car c'est bien de lui qu'il s'agit, indirectement ou non, quand on téléphone à son ex-femme de façon aussi désobligeante, aussi tricheuse. Je crains de n'en avoir pas terminé avec ce revenant émacié. Et si je lui disais de partir ? Demande réflexion.

Tout cela ne m'empêche pas de faire mon travail avec conscience et, là, les appels sont filtrés.

Je vois souvent Maxime Gervaise qui est un studieux occupé sans cesse d'une recherche sur une chose ou l'autre. Depuis quelque temps, nous avons un nouveau chercheur, mais de l'espèce « vieil original ». Je n'ai, jusqu'ici, échangé que des inclinaisons de tête et je ne sais pas quel est le sujet de son entreprise.

Pour revenir à Maxime, j'ai été très tentée de lui raconter toute l'affaire des appels muets, mais je n'ai encore rien décidé. Peut-être opterai-je pour le silence. S'il y a quelque chose de louche, je préfère régler cela toute seule. Il m'a dit, il y a peu, que son ami Barois revenait bientôt, qu'il lui parlerait de moi et qu'il l'amènerait à la bibliothèque s'il acceptait. « Ne le traînez pas de force », ai-je répondu, ce qui l'a fait rire d'une façon qui me fait croire que ce monsieur n'est pas de ceux à qui on fait faire ce qu'ils ne veulent pas. Bravo ! c'est parmi eux que je choisis mes amis.

Pendant tout ce temps, je n'ai pas interrompu le classement et la visite des livres que Maxime nous a donnés. J'y prends grand plaisir et il me passe parfois par la tête une pensée furtive qui se formule à peu près ainsi : « Pourquoi Maxime, au lieu d'offrir ses livres à la bibliothèque où, pour une bonne moitié, peu d'abonnés les « sortiront » selon le vocabulaire du métier, et que je serai seule à lire, pourquoi donc ne m'a-t-il pas offert ces beaux livres rendus plus séduisants encore par les noms qui signent les dédicaces toutes plus précieuses les unes que les autres ? »

Au fur et à mesure que je les extrais de leur boîte, je m'enchante de trouver, bien sûr des romans qui n'ont pas plus de vingt ans, mais aussi ceux dont ma mère et ma grand-mère parlaient dans les longues conversations où il n'était guère question d'autres choses que de lectures. De temps en temps, j'en ouvre un qui porte sur l'envers de la couverture l'ex-libris de Cornélie Barois ou celui d'Adeline Barois. J'avais, au reste, l'intention de faire imprimer des collants, juste quelques mots, comme : « Don de Maxime Gervaise, ami d'Évariste Barois », mais Maxime préfère que ce soit le seul nom de Barois qui figure sur ce collant. Je lui parle longuement de mes découvertes. D'abord des romans anciens, une vingtaine pas plus. J'appelle anciens ceux qui ont été écrits un demi-siècle avant ma naissance. Par exemple *À rebours* de Huysmans dont j'ai entendu le nom pour la première fois quand grand-maman et maman parlaient de Jean des Esseintes avec animation par un jour d'été. Nous étions assises sur la véranda, j'étais censée lire un livre « à ma portée », mais j'écoutais plutôt. C'est très loin dans ma mémoire un peu encombrée, mais qui garde assez fidèlement ce qu'elle a attrapé par ruse. Je me souviens nettement que grand-maman avait cité une phrase de Huysmans qu'elle avait lue dans une revue : « Il est impossible à un romancier d'être chaste » et maman avait éclaté de rire. « Il faut répéter cela à Charles. » Si je suis sûre de ce prénom, je ne sais pas pour autant de qui il s'agissait. Un ami qui écrivait dans le secret de son cabinet ?

Quand je vois les dates de publication de ces romans anciens, je comprends que c'est d'elles que je tiens ce vice de relire des textes qui ont cent et deux cents ans d'âge, que je relirai sûrement encore plusieurs fois. Depuis que je suis seule – je ne compte pas Gontran comme quelqu'un qui est là vraiment – je passe une semaine tous les ans dans une auberge de campagne où j'apporte une mallette pleine de l'une ou l'autre de mes vieilles passions.

– Heureusement que je pourrai me rattraper avec votre exemplaire, monsieur Barois.

Car il est là, enfin, assis dans mon bureau en compagnie de Maxime. Je connais déjà son visage par les photographies publiées dans les pages littéraires des journaux. Elles sont toujours un peu anciennes, me semble-t-il. Il a le visage plus plein, plus las peut-être. En somme, c'est un assez bel homme, grandeur moyenne, un peu replet – son veston, mal coupé, marque un bourrelet à la taille – mais, d'autre part, des yeux superbes dont il use de façon, comment dirais-je, appuyée ? C'est cela, un regard dont on arrive mal à se détourner, j'allais dire à se déprendre. Il a une belle voix au registre étendu dont il sait bien se servir aussi, ce qui est rare sous nos latitudes où l'on criaille plus volontiers. J'ai eu le sentiment qu'il n'y a chez lui rien d'initial, que tout est volontaire, étudié et que tout ce qu'il dit ou fait découle de décisions anciennes prises au moment des choix de vie, des orientations premières. À plusieurs reprises, il s'est mis à rire et le drame de sa vie m'est revenu à la mémoire. Est-ce pour cela que ce rire m'a semblé fêlé ?

Nous avons parlé des romans que Maxime nous a cédés et, parmi eux, de ceux qui venaient de Barois, à l'origine. Je me demandais s'il avait délibérément renoncé, par exemple, aux romans de Flaubert, de Barbey d'Aurevilly, de Larbaud, que j'avais trouvés dans les cartons de Maxime. Sans doute qu'il y en aura d'autres. Puis j'ai compris qu'il possédait en belle édition tout ce qu'il avait aimé parmi ses acquisitions anciennes. Au début de la vie on s'offre les livres brochés, avec l'âge on acquiert les reliures. Le temps passe, mais il connaît des compensations. La Pléiade en est une.

Tout en l'écoutant, je pensais aux signets de fortune que j'ai trouvés entre les pages de certains de ses livres que nous avons maintenant. Il semble qu'il utilisait, pour marquer le point d'arrêt de sa lecture, ce qui lui tombait sous la main : un billet de cent francs de jadis, grand format et, naturellement, je me suis demandé s'il était déjà périmé ou non quand il a été oublié là. Je l'ai mis dans une enveloppe où je mettrai tout ce que je trouve, une lettre de sa maman, un chèque important qu'il a conservé, semble-t-il, après l'avoir récupéré avec son rapport mensuel attaché au chèque. La signature, à l'endos, est d'un personnage connu. Barois l'a conservé puis il l'a égaré entre les pages d'un roman. Et puis, ce matin – je m'avance tout doucement, car les choses changent –, entre les pages de la *Chronique du règne de Charles IX* de Mérimée, une feuille qui m'a laissée pantoise : un rapport d'analyse de laboratoire, négative. J'en ai poussé un soupir de soulagement. Comme j'aurais soupiré pour moi-même. D'après la date, cela se situe après l'accident où il a perdu sa femme. Un homme seul, le désir de trouver une diversion dangereuse qui secoue les nerfs, mais vite suivie de l'inquiétude puis de l'alarme. La feuille tremblait au bout de mes doigts. Je l'ai posée dans le grand cendrier. Le papier était sec, il a brûlé en dix secondes. L'odeur légèrement balsamique a flotté un bon moment, assez tenace.

Il m'était difficile d'oublier ma trouvaille. Barois parlait de ses lectures passionnées d'écrivains qu'il appelait en souriant « bien-aimés » et j'arrivais mal à penser à eux plutôt qu'aux tourments sordides, aux filles des rues chaudes où je l'imaginais bien difficilement avec sa tenue sévère, sa cravate de soie, pochette assortie, se laissant emmener à l'hôtel meublé et peut-être pas par une fille après tout.

Pour terminer, je leur ai fait visiter la bibliothèque qui n'offre pas beaucoup de nouveauté à Maxime. En traversant la section contemporaine des essais, forcément nous sommes passés devant le rayon où se trouvent les livres d'Évariste Barois. Nous les avons presque tous. Je ne le lui ai pas fait remarquer, me disant qu'il le constaterait tout seul. Ce qu'il a vu c'est : « Pas tous. » Je lui ai confié à l'oreille que nous en avions aussi, section romans. Il a ri et, sur le même registre que le mien, m'a murmuré : « Péchés de jeunesse. »

Les salles de lecture sont pleines, les habitués sont là. En passant derrière un siège où est assis un vieil homme un peu dépenaillé, il me semble, je vois surtout un journal déployé à l'envers. Il fait si froid dehors ! En y regardant à deux fois, je m'aperçois que ce « liseur » dort. Maxime hausse une épaule indulgente.

– Vous tolérez cela ? interroge monsieur Barois.

Si je ne savais pas qu'il a bien des raisons d'être aigri et peu tolérant, je lui répondrais de façon un peu aigre aussi. Je dis seulement : « Le pauvre homme. » Il faut quand même que je m'informe s'il possède une carte de membre ou s'il entre par une fraude quelconque, que sais-je ?

Je les raccompagne jusqu'à la sortie, nous nous souhaitons bonne soirée, merci pour ces aimables moments, à un très prochain revoir. Et voilà ! Pas très contente, bon... Je n'ai pas le sentiment que Barois et moi venons de commencer une amitié qui durera toujours, alors qu'avec Maxime, ce n'est pas exclu.

J'allais ranger mes papiers et fermer mes tiroirs quand Maxime a téléphoné :

– Est-ce que j'arrive trop tard ?

– Je suis ici pour quelques minutes encore. Vous avez oublié quelque chose ?

– Pas du tout. Je veux seulement vous dire que vous avez conquis Barois.

S'il y a une chose à quoi je ne m'attendais pas !

– C'est curieux, j'ai eu l'impression de lui être antipathique.

Sur quoi Maxime s'exclame. Son ami Barois est timide sous ses dehors assurés, en plus il a regretté sa remarque sur le vieux liseur à l'envers et « cela l'a inhibé tout le reste de la visite », paraît-il.

– Il est timide, à son âge ?

– Mais oui... mais quel âge lui donnez-vous ?

– Je ne sais pas. Je n'ai pas eu la curiosité de vérifier nos fiches.

– Il a quarante-trois ans.

Ce n'est pas si vieux qu'il ne puisse vous rester quelque timidité, toutefois je comprends que Maxime a cru à mon ton que j'imaginais Barois beaucoup plus âgé. Il est vrai que son visage est sévère mais, surtout, il a quelque chose de ramassé dans l'allure qui trahit l'homme assis à lire ou à écrire plusieurs heures tous les jours – au reste, il a parlé de sa fidélité au travail. Je dois dire que je ne le croyais pas si jeune encore.

Maxime a terminé l'appel en me disant qu'il souhaitait m'inviter à dîner chez lui, si cela me plaisait. J'ai bien l'intention d'accepter même si cela m'oblige à laisser mon intrus se débrouiller seul. Chaque fois que je l'ai fait, il n'a pris que du pain, du fromage, bu beaucoup de vin et n'a pas touché à ce que j'avais laissé et aurait exigé un peu d'apprêt. Pendant ses années en bordée, il a oublié comment faire cuire un œuf et même bouillir de l'eau, semble-t-il.

Heureusement, je n'ai pas accepté de changer ma vie pour lui. Il est malade, c'est vrai, mais pas au point de devoir compter sur ma présence. Autrement, je ne le garderais pas ici. Il a été mon mari, c'est vrai aussi. Cela ne veut pas dire qu'il peut se réinstaller chez moi à perpétuité. L'excès de pitié n'engendre que la rancœur. Rien de plus malsain.

À quel sentiment avais-je obéi ce soir-là ? Au souvenir d'un amour qui fut passionné et que j'avais mis quelques années à étouffer ? Je ne vois guère d'autre raison. Un homme qui sort de l'ombre, une voix cassée qui ne rappelle rien : « N'aie pas peur, c'est moi. »

Dans mon étonnement, j'aurais pu faire n'importe quoi, éclater de rire ou en sanglots, crier « au secours » ou bien lui tendre les bras. Seulement, il est arrivé cette chose : je ne l'ai pas reconnu, si bien que je ne lui ai même pas tendu la main. Sa maigreur, son délabrement, son visage où, sous la peau, il n'y avait plus que les os, et les os, moi, je ne les connaissais pas, les pommettes saillantes, le menton pointu et le nez, le nez qui n'est plus droit du tout – sur le moment je n'ai vu que l'ensemble de ce visage, le détail m'apparut plus tard. Le temps de me rendre compte de son état et le dégoût qu'il m'inspira, j'ai retrouvé mon sang-froid à la vitesse accélérée, malgré les mains noueuses et agitées et les tics du visage.

– C'est moi, Gontran, regarde-moi.

– Justement, je vous regarde, et je ne vous reconnais pas. Qu'est-ce que vous venez faire ici ?

– Eh ! je reviens, mais j'ai changé, forcément.

Quelque chose dans l'accent de familier, de particulier, sur quoi je taquinais Gontran, mais c'est bien lointain...C'est peut-être aussi mon imagination.

– Tu es malade ?

– À vrai dire, je ne suis pas très bien. Tu me laisses entrer ?

– Entrer ? Tu veux entrer ? Comme si de rien n'était ? De quel droit ?

– Je suis ton mari et je suis malade.

– Tu n'es plus mon mari, tu dois le savoir.

Un voisin qui passait s'est arrêté : « Besoin d'aide, madame ? »

J'étais ennuyée, mais pas effrayée, il s'est éloigné non sans se retourner plusieurs fois.

– C'est le bon monsieur Lebrun ?

– Oui. Il ne t'a pas reconnu lui non plus.

– Moi je l'ai reconnu. Je t'en prie...

Comme j'ai eu envie de dire non, non, non, va-t'en, et puis un sentiment contraire m'en a empêchée, celui de faire un peu plus que l'inattendu, celui de m'étonner, de m'éblouir même par ma magnanimité, d'être généreuse au-dessus de l'imaginable.

– Allez, entre !

Si je me suis éblouie, lui n'a pas même dit merci. Il est entré devant moi et s'est effacé une fois à l'intérieur comme pour me laisser le conduire. Je l'ai poussé vers le salon où il s'est laissé tomber dans le fauteuil le plus proche. Aux lumières, il était d'une pâleur jaunâtre, l'orbite charbonneuse, mal en point de toute évidence, mais propre sur lui et, détail qui a son importance, ne répandant pas d'odeur douteuse. Il ne disait plus rien, moi non plus. Je cherchais et n'ai trouvé que ce qu'une femme dit, je suppose, à tout prodigue, même si elle ne le reconnaît qu'à peine.

– As-tu faim ? As-tu soif ?

Il a dit « soif » mais il a aussi vidé l'assiette de biscuits salés. J'ai compris à son air embarrassé qu'on peut avoir soif n'importe quand, n'importe où, mais qu'on a honte d'avoir faim comme un vagabond qui arrive du bout de la route. La seule question que j'avais envie de poser : « D'où viens-tu ? » Je ne l'ai pas dite. Une fois pour toutes je ne l'ai pas dite.

– Tu sais que j'ai obtenu le divorce après cinq ans.

– Ah oui ? Je suis donc ici comme un invité.

– Pour très peu de temps, je t'assure.

Il n'avait pas vidé son verre quand je me suis aperçue qu'il tombait de sommeil.

– Tu veux dormir ?

– Si c'est possible, oui.

C'est depuis ce soir-là qu'il occupe la chambre d'amis, qu'il mange à ma table, bref qu'il vit chez moi et, ma foi, presque en secret, puisque je ne parle de lui à personne.

Je ne sais plus trop comment j'ai imaginé l'avenir quand il est entré dans cette chambre pour n'en pas beaucoup sortir. J'ai peut-être cru, vraiment, que c'était pour très peu de temps, ou bien à voir son état qu'il ne tarderait pas à mourir ou encore qu'il allait quand même guérir et repartir ? En tout cas, j'ai décidé que je ne parlerais de son retour que contrainte par les événements. D'autre part, je n'avais parlé de son départ qu'à bien peu de gens, les amis très intimes et la parenté, peu nombreuse celle-là. Dans mon milieu étroit, on est facilement persuadé qu'une femme qui a une situation est plus intéressée à parler de son travail que de son ménage. J'ai navigué comme j'ai pu dans les conversations et j'ai pris l'habitude de n'inviter qu'au restaurant, « n'ayant plus le loisir de recevoir chez moi ». Au fond, je ne dois de comptes à personne, toutefois je répugne à avouer qu'il est là depuis des semaines et tout autant à inventer qu'il vient d'arriver, histoire où je finirais par me perdre. De toute façon il est hors de question de le laisser voir à quiconque. J'en parlerai peut-être à Maxime et, petit à petit, à d'autres. Comme si de rien n'était, je dirai que Gontran est là depuis quelques semaines et qu'il est très malade.

Toute cette rumination que j'essaie souvent, et vainement, de me refuser, ce soir m'a mise en colère. Tout en préparant le repas, je ronchonnais, sans intention de lui parler et surtout pas sur le ton qui m'est venu malgré moi.

– Peux-tu me dire, à la fin, pourquoi tu es revenu ?

– Comment ça ? Où veux-tu que j'aille ?

– Ailleurs ! N'importe où sauf ici. Ailleurs !

Il a eu son rire grinçant à quoi je ne m'habitue pas.

– J'en arrive ma chère !

– Et tu y retournes quand ?

– Dès que je serai guéri.

Je me suis tue. Ce court accès de méchanceté m'avait tranquillisée, je sentais même une sorte de remords m'agiter devant ce pauvre homme humilié, si fier autrefois. J'ai été à un cheveu de m'excuser et je lui ai vu un sourire narquois qui m'a ramenée au bon sens. Ce qui est dit est dit.

Je n'ai pas tardé à mettre au courant de ma situation d'abord Maxime puis certains amis. Maxime avait pressenti quelque bizarrerie dans mon existence à première vue si unie. Il avait d'abord pensé que je gardais une parente ou un enfant arriéré ou monstrueux (c'est moi qui ajoute cela), et il a été étonné d'apprendre qu'il s'agissait d'un ex-mari revenu invalide d'une fugue de six ans.

– Où était-il ? Il est parti comme ça, le coup classique, pour acheter des cigarettes et...

– Même pas. En m'éveillant, un matin, il n'était plus là.

– Vous avez averti la police.

– Pourquoi ? Un homme libre qui s'en va en apportant ses valises n'est pas parti forcé de quelque façon, il n'a pas été enlevé, arraché de son domicile. Son départ était préparé.

– Vous le connaissiez depuis longtemps quand vous l'avez épousé ?

– Oui, nous nous sommes connus vers nos seize ans, l'adolescence, quoi ! Ses parents vivaient à l'époque. Sa mère est morte peu après notre mariage.

– Et son père, il vit toujours ?

– Je n'en sais rien. Un jour, il est venu nous faire ses adieux. Il y avait près d'un an que sa femme était morte, il partait pour Paris, comme tout le monde, et après il n'en savait encore rien. Il avait vendu la maison toute meublée, la voiture, et nous a annoncé : « Je ne reviendrai pas mourir ici. Trop froid pour mes vieux os. » Il n'a écrit qu'une fois, une carte postale de je ne sais plus où. Je ne l'ai plus, peut-être que Gontran l'avait emportée... je dis cela sans preuve. Je pense seulement qu'il a voulu faire comme son père.

– Sauf que vous n'étiez pas morte. Comment était-il les derniers jours ?

– Empressé, un peu plus que d'habitude même. Ça n'a pas éveillé ma méfiance. S'il fallait se méfier chaque fois qu'il y a un petit surplus.

– Quel effet cela fait-il de découvrir la place à côté vide dans le lit ?

– Pour commencer, rien. Il s'est levé avant moi, c'est tout. C'est en découvrant la penderie et les tiroirs entrouverts qu'arrive l'effet saisissant. Ce que j'ai subi, le premier choc encaissé, c'est l'interrogation comme un état mental, et physique et moral tout à la fois. J'aimais cet homme-là profondément. Je croyais qu'il le méritait. Ce qui m'a le plus étonnée, c'est la lâcheté. Partir comme un voleur alors qu'il me connaissait et savait que je l'aurais laissé partir s'il m'avait dit qu'il ne voulait plus vivre avec moi. Au pire, j'aurais demandé ses raisons.

– C'est probablement cela qu'il ne voulait pas révéler.

– Je me suis torturé l'esprit à me demander si j'étais coupable, au moins responsable de cette action extrême. Et puis, était-ce bien un abandon ou une petite fugue, un caprice, un coup de folie ? Il sera peut-être revenu dans une semaine ou deux, repentant, plein d'excuses et de mensonges.

– Il est donc revenu.

– Oui. Six ans plus tard, silencieux sur son escapade.

– Jamais un mot ?

– Si, de temps en temps, au début : « Un soir, à Amsterdam, des voyous nous poursuivaient dans les petites rues » ou bien : « Istanbul est une belle ville, mais j'en garde un mauvais souvenir ». Suivaient des détails ! C'était donc pour courir ces aventures-là qu'il était parti comme un voleur, une nuit si tendre ? Je l'ai prié de cesser ses confidences. Il n'a plus parlé, mais il ne m'avait jamais rien dit sur le fond des choses, sur ce qu'il faisait vraiment à Marseille, au Caire, de quoi il y vivait. Je ne peux imaginer rien d'honnête.

– Regrettez-vous de l'avoir recueilli ?

– Oui et non. Il m'empoisonne la vie, c'est certain. D'autre part, rejeter à la rue quelqu'un que j'ai aimé pendant des années, l'imaginer grelottant sur un banc public, ne sachant où aller pour étendre son corps malade, c'est au-dessus de mes forces.

Là-dessus, Maxime a remarqué que j'avais commencé par ne pas le reconnaître, parce que je l'avais complètement chassé de mon souvenir sans doute ?

Petit bouleversement, ces jours-ci, à la bibliothèque. On s'est aperçu de vols qui sont en même temps, et surtout, des déprédations, pages arrachées, illustrations découpées avec une lame qui entame plusieurs pages sous-jacentes. Il s'agit toujours de livres qui ont grande valeur, soit par leur rareté, leur beauté, leur ancienneté ou leur prix, tout simplement. Ces indélicats – charitable euphémisme – sont motivés différemment selon le larcin. Il y a les paresseux qui s'épargnent ainsi de prendre des notes. Ils mettent le texte dans leur poche en emportant les citations, les noms d'auteur, la pagination, une partie de leur travail de recherche toute faite. Un autre larcin, plus fréquent, c'est celui des reproductions de peinture de femmes, nues surtout ! On peut penser à des garçons encore jeunots qui s'imaginent monter une collection de photos obscènes, ils ont quinze ans ou peut-être même dix, les temps changent vite. Plusieurs de nos dictionnaires illustrés sont mutilés, depuis combien de temps ? Les plaintes sont récentes, cela ne prouve rien.

D'autre part, nous avons une bonne collection des quotidiens de la ville. Un vieil abonné que je connais bien est arrivé à la porte de mon bureau, si ému qu'il est entré sans frapper, tout agité, ne se rendant même pas compte de son irruption inopinée. Il venait déjà ici avant mon emploi à la réception, surtout pour lire les journaux étrangers, les revues. Ce matin, il bégaie de colère.

– Je suis scandalisé. Je voulais faire une petite recherche et consulter les journaux du temps. Tout ce qui traite de ce sujet a été découpé.

Bref, tous les articles concernant notre fameux joueur de hockey ont été « prélevés ». Il se peut que ces fripons aient opéré pendant plusieurs années sans attirer l'attention. J'aurais cru que ceux que le sport passionne à ce point-là sont respectueux de tout ce qui conserve leur culte. C'est ce que j'ai dit à mon vieil abonné. Il m'a regardée, l'air narquois : « Ce n'est pas toujours par amour que ces choses-là se font. » J'avoue que je n'y avais pas pensé.

Pendant quelques jours, nous avons été occupés à pister les pillages comme disait le vieux monsieur. Le côté amusant, c'est qu'il se considère maintenant comme le héros de l'événement.

Maxime et Barois, à qui j'ai raconté mon ennui devant ces actes de malveillance, m'ont assurée que je prenais cela trop sérieusement. Il paraît que cela se fait dans toutes les bibliothèques du monde. Il y a pire que les vols, m'a dit Maxime, qui sont au moins inspirés par le désir de posséder l'image de la beauté, tandis que les grattages, les barbouillages, destinés à abolir la nudité sont dictés par la sottise. « Ou par la jalousie », a ajouté Barois. Avec lui, les propos désolants sont toujours ponctués d'un mot de la fin comique.

Ne pas oublier de noter qu'il a fait allusion – il s'agit toujours de Barois – au drame qui a saccagé sa vie et justement à propos d'articles découpés dans les quotidiens. On lui a rapporté que l'accident où il a perdu sa femme et son fils, dont on a beaucoup écrit à l'époque, a fait l'objet de ces petits pillages. De jeunes admiratrices, qui sait ? Il suffit que l'on reparle de B., par exemple pour la publication d'un livre, pour que la curiosité sur les circonstances de l'événement soit réveillée. Pour ma part, je n'en sais pas grand-chose.

Ces tournées, quelquefois, me font découvrir des amoureux plutôt que des lecteurs. J'en ai repéré deux qui arrivent l'un après l'autre, un peu passé l'heure de sortie des écoles. Ils choisissent un album, une table, rapprochent deux chaises et font mine de lire, leurs deux têtes appuyées l'une sur l'autre. De temps en temps, ils tournent une page, elle remue les lèvres, comme si elle lui faisait la lecture à voix basse, tout un jeu de faire semblant qui m'amuse et m'attendrit. Au début, je faisais celle qui ne les voit pas, maintenant, je les vois et leur souris. Je me dis que cela contribuera à leur faire aimer les bibliothèques, un de leurs verts paradis.

La maison de Maxime m'a beaucoup plu. Tout y est simple, rien d'inutile. C'est la meilleure description que j'en puisse donner. Le salon est une pièce d'angle, fenêtrée sur deux murs. Les deux murs pleins, bleutés à peine, ne sont ornés sur l'un que d'un grand miroir qui reflète le jardin et sur l'autre d'un portrait de femme.

– Ma mère, dit Maxime, comme s'il me la présentait, si bien que mon premier réflexe est d'incliner la tête, ce qui fait rire mon hôte et son autre invité, Barois, qui est passé me prendre à la bibliothèque où j'ai travaillé ce soir jusqu'à sept heures. Il y avait aussi Hélène, la meilleure amie de Maxime, qui était là mi-hôtesse, mi-invitée.

À mon sens le dîner fut légèrement raté, le potage était tiède, le gigot trop salé, seuls les fromages et le dessert très bien. Barois n'en mange pas. Passons, la conversation fut amusante, ceci compense cela. Je me sentais en gaieté : il m'arrive si souvent de rater un plat, de m'en excuser longuement. Ni Maxime ni Hélène ne soufflèrent mot. C'est ce que je ferai la prochaine fois si jamais je recommence à recevoir chez moi. J'apprenais ce qu'il faut faire. Comment l'aurais-je appris de ma mère ? Il ne lui arrivait même jamais de griller un toast trop ou trop peu. Quand on n'a pas trouvé la perfection dans son berceau... Je lui disais souvent qu'elle était un aigle qui a couvé une oie. Tous ces petits souvenirs me donnaient envie de rire et de reprendre du dessert.

Hélène a beaucoup parlé de son frère Jean et de Philippe, son compagnon, qui filent toujours le parfait bonheur, nonobstant le voyage affreux qu'ils ont fait au Moyen-Orient où ils ont vécu toutes les terreurs du monde. Elle dit que Jean, depuis son retour, répète « mes pantoufles, cette année, mes pantoufles et rien d'autre ! » Philippe qui a une quinzaine d'années de moins prétend que tous ces bouleversements leur feront mener une vie de vieux. Ces menus potins familiaux font sourire, il n'empêche qu'ils sont partie de l'inquiétude des temps actuels. Je raconte qu'à la bibliothèque, plusieurs abonnés m'ont dit : « Je lis de plus en plus, je ne voyage plus. Avec les livres je suis plus certain d'arriver à la fin sain et sauf. » Là-dessus : « Il y a pourtant des livres bien dangereux », a murmuré Barois, avec une mine dévote tout à fait comique.

Il m'a reconduite, après avoir déposé Hélène chez elle. Avant que j'ouvre ma portière, il m'a embrassée très tendrement et m'a soufflé à l'oreille : « Vous me plaisez beaucoup. » Bon !

J'avais passé une soirée charmante. Ce ne fut pas aussi bien avec mon intrus. Avant de monter, j'ai voulu voir s'il semblait s'être débrouillé pour dîner. Il a surgi comme j'ouvrais le réfrigérateur.

– Tu veux savoir si j'ai mangé ? Ne cherche pas. Je suis allé au restaurant.

– Eh bien ! bravo, Gontran. Cela veut dire que tu es assez bien pour sortir.

– J'ai pris un taxi.

Perplexe. Intriguée. Il a donc de l'argent ? Quand on vient se réfugier comme un mendiant malade, cela laisse supposer qu'on a flambé son dernier dollar. J'ai été tentée de le lui demander brutalement, une sorte de pudeur ennuyée m'en a empêchée.

Il est remonté comme il était venu, sans faire le moindre bruit. Il déplaçait plus d'air autrefois, l'escalier quatre à quatre, les portes qui claquent ; il était plus jeune, mais six ans de plus ce n'est pas beaucoup. Qu'a-t-il appris tout ce temps ? À ne pas faire plus de bruit qu'un chat curieux ? À rester étendu vingt heures par jour ? Il me vient à l'idée qu'il a peut-être été prisonnier, détenu par des gens ayant quelque rapport avec sa fugue ? qu'il y aurait gagné l'habitude de l'immobilité ? et l'origine de son impressionnante maigreur ?

La mauvaise humeur m'envahit. Est-ce que je ne pourrai sortir sans qu'au retour m'attende une petite énigme à résoudre ? J'étais si contente de ma soirée, même si le dîner n'était pas fameux. Je me moquais de moi en pensant qu'il m'arrive de rater un plat sans que cela m'empêche de le manger. Je voudrais bien retrouver un motif d'être contente comme tout à l'heure. Au lieu de ça, encore un appel fantôme au téléphone. L'afficheur indique « confidentiel », j'aime bien les confidences, mais celle-là est un peu courte. J'ai beau dire : « Allo, oui, allo », rien, même pas le bruit léger d'une respiration comme cela arrive parfois. Demain, je vais demander un changement de numéro. Je monte à la chambre de l'intrus.

– Est-ce que tu réponds au téléphone quand je n'y suis pas ?

– Pourquoi me demandes-tu ça ?

– Pour savoir. De toute façon tu n'as pas accès au téléphone, je te l'ai dit quand tu es arrivé.

– Alors, je ne suis pas chez moi ici ?

– Chez toi ? Tu veux rire ? Tu es parti de chez toi il y a plus de six ans. Tu n'es plus mon mari. Tu es ici parce que tu es malade. C'est tout !

En sortant, je me suis retournée pour voir comment il prenait cette mise au point. Il n'avait plus du tout l'air insolent. Parfois, la pitié me tord le cœur, mais la pitié n'est pas un sentiment honorable et ce qu'elle voudrait me faire faire serait humiliant et pour lui et pour moi. Revenir sur mes pas, lui tendre la main et lui dire qu'il est pardonné ? Je ne serais plus capable de me regarder dans une glace... et ça me manquerait beaucoup !

Je suis redescendue mettre à l'abri ce que j'avais préparé à quoi il n'avait pas touché ! J'ai tout de suite vu qu'il y avait de petites choses qui n'étaient plus dans les assiettes, par exemple, une tranche de jambon sur deux, le morceau de fromage était diminué de moitié, tandis que la grappe de raisins avait des « manques » un peu partout. Quand je prépare une assiette, je sais ce que j'y ai mis.

Pourquoi cette comédie ? Pour jouer les mystérieux ? Pour savoir si j'accepterais de petites escapades ? Pour éprouver ma clairvoyance, qui sait ?

J'aimerais bien qu'il se fasse un peu oublier.

Hier, pour mon plus grand plaisir, je me suis trouvée « à la tête » de deux belles heures sans rien d'urgent à régler. Vite, j'ai filé vers la petite pièce où m'attendent les romans qui nous viennent de Maxime, mais par ricochet d'Évariste Barois. Je continue mon inventaire. Il y a de tout et dans tous les sens. Par exemple, certains bouquins sont très abîmés et, comme il se trouve, ce sont les plus intéressants, c'est forcé : dos cassés, cahiers décousus, sans parler du papier piqué de rousseurs, mais surtout surchargés dans les marges de notes au crayon devenues illisibles. J'en suis à la lettre F, c'est donc que j'ai passé *Robinson Crusoé*, *Don Quichotte* et autres romans qu'il a eus en sa jeunesse – il y a toujours une date après son nom – et puis *La religieuse*, *Le lys rouge*, qui porte l'ex-libris de Cornélie Barois. Si nous faisons réparer tout ce qui est assez abîmé pour être en péril, cela nous coûtera une fortune et il est plus probable que nous en garderons plusieurs dans une armoire à titre de reliques. Si on ne les remue pas de trop, ils seront toujours là quand je n'y serai plus.

J'étais plongée dans mes classements quand j'ai été alertée par une rumeur tout à fait inhabituelle en ces lieux de recueillement.

Les choses se passent à la table où travaille l'abonnée qui fait ses recherches sur la préhistoire.

– C'est ici que vous récoltez toutes ces horreurs que vous racontez à mes enfants ? C'est dans ces saletés de livres !

J'ai été sur le point d'intervenir immédiatement, mais j'ai vu que la grand-mère de ces enfants-là était de force à le faire. À preuve qu'elle est calme alors que l'autre est hors d'elle.

– Il n'y a pas de sales livres ici et ce que j'ai là sont des livres savants. Ici, c'est aussi un lieu de silence.

– Je m'en fiche du silence. Moi, j'enseigne la Bible à mes enfants et vous arrivez avec vos histoires que la terre existe depuis des milliards d'années.

Rouge de colère, échevelée, elle se tourne vers moi.

– Elle leur a raconté une histoire de pouce, le pouce préhensible qu'elle appelle ça, l'histoire d'une Lucy née il y a trois millions d'années.

– Mais qui n'avait pas le pouce préhensile, dis-je en souriant.

– Merci, madame, de me corriger le pouce préhensile, bon, je ne suis pas têtue. Dans ma religion, on nous dit que la terre existe depuis six mille ans...

Ah ! elle appartient à une secte américaine, je m'en doutais !

– ... et que nous avons été créés comme je suis maintenant, pas comme des singes.

Là-dessus, ayant dit l'essentiel de son sermon, elle a tourné le dos et s'est enfuie comme elle était venue, d'un pas coléreux. Chacun est retourné à son poste sauf moi qui suis restée pour parler avec madame

Delatour, la grand-mère scandaleuse des pauvres petits à qui elle aura bien du mal, je le crains, à dire l'histoire de Lucy.

– Quel incident stupide ! Est-elle comme ça sur tout ?

– Son intégrisme biblique, c'est tout pour elle. Elle ramène tout à ça.

– À notre époque, cela n'est plus possible ! Mais il paraît que c'est très à la mode dans les nouvelles sectes créationnistes qui gagnent du terrain. Je suppose qu'elle en est ?

– Oui, mais la secte n'est pas nouvelle. Sa maison est envahie par les publications, fascicules, plaquettes et même feuilles volantes empilées ici et là, où les adeptes sont encouragés à répandre la bonne nouvelle, la récompense pour ce faire serait de survivre au cataclysme final promis pour bientôt. Premier résultat, les enfants vivent dans la terreur.

– C'est leur mère, ils la croient.

– C'est pour contrer ces fariboles que j'ai imaginé de préparer un petit travail sur l'évolution de l'homme. Si j'arrive à leur démontrer qu'il est là depuis des milliers de millénaires et sous des formes différentes, j'arriverai peut-être à les persuader que les six mille ans...

Pauvre grand-mère ! Elle s'est rassise en riant quand même et elle a continué son petit travail. Elle sait qu'elle n'écrit rien de nouveau et qu'il y a des livres où chacun peut lire les propos que des foules de savants ont écrits, mais elle pense que ses petits-enfants la croiront plus volontiers, elle, quand ils auront grandi.

Je pense beaucoup à cette vieille dame pour qui la meilleure preuve d'amour c'est de faire connaître la vérité à ses petits-enfants. Ils choisiront peut-être autre chose, le mensonge a souvent de ces attraits !

Maxime frappe presque tous les soirs à la porte de mon bureau, car il vient travailler de plus en plus souvent. Curieusement, il ne me dit pas à quoi. Il me raconte qu'il trouve ici beaucoup de ce dont il a besoin et que ma bibliothèque est fertile en documentation. Cela s'arrête là et je n'ose l'interroger. Ce ne sont pas les occasions qui auraient manqué s'il avait voulu « entrer dans la voie des confidences ». De toute façon, il n'y a rien là d'original, les écrivains ont l'habitude de refuser de révéler à quoi ils travaillent, quel sujet, quel titre.

Je suis presque décidée à recevoir mes nouveaux amis un de ces dimanches soirs. J'en suis à concocter une phrase définitive à l'adresse de l'occupant incrusté dans « ma chambre à donner » comme on disait encore dans nos campagnes, quand j'étais petite. Il faut que ce soit assez menaçant pour qu'il ne me cause aucun ennui, pas un mouvement, pas même un soupir, si peu que rien, comme s'il n'était pas là.

J'ai fini par le lui dire : « Comme si tu n'étais plus là. » Il m'a répondu : « Patience. » J'ai eu un moment le faux espoir qu'il enchaîne sur quelque chose de concret. Rien de tel.

En attendant, je suis très ennuyée par un incident, banal en soit, qui signifie : « quelqu'un dans votre entourage vous veut du mal ». Quand j'étais l'assistante du directeur, je n'ouvrais pas son courrier, même celui qui était manifestement lettres d'affaires. Si j'en jugeais par l'écriture des adresses, féminines si souvent, je voyais bien pourquoi. Pour ma part, j'ai décidé de laisser aller les choses en l'état, quand ce ne serait que pour le plaisir de faire jouer le coupe-papier, pauvre accessoire qui ne coupe plus aucun livre maintenant, sauf ceux de mon écrivain préféré. Vous savez bien de qui je parle.

Bref, c'est ainsi que j'ai trouvé, un matin de la semaine dernière, une enveloppe adressée en caractères moulés, parmi le courrier postal – le courriel, béni soit le ciel, ne compte pas encore de ces espièglerie. Très influencée par ce que tout chacun sait de l'importance des empreintes digitales – ce qui montre à quel point j'étais alertée par l'aspect de la chose –, je me suis arrangée pour ne pas toucher le contenu de l'enveloppe. J'ai étendu la feuille sur mon bureau du bout du coupe-papier. C'était bien le genre de gentillesse à quoi je m'attendais, des menaces, et j'ai tout de suite pensé à la scène qui s'était jouée il y a quelques jours à la table de madame Delatour, puis une maladresse qui ne pouvait être imitée dans l'usage du français me détourna de ce soupçon. Je décidai de conserver cette lettre pour moi seule. Je ne connais pas d'autre langue étrangère que l'anglais, j'ai aussi un certain flair pour reconnaître les hispanismes ou les italianismes. Je ne détecte rien de tel dans ces propos injurieux où je suis menacée de la punition de Dieu. J'ai bien l'impression que ladite punition, c'est la mort, tout simplement... à tant faire ! De toute façon, on ne cherche pas à m'extorquer de l'argent. On ne me demande que d'avoir peur. J'aurais peut-être peur, en effet, si je savais d'où peuvent venir les coups. Pour le moment, ces menaces me semblent exagérées et « Tout ce qui est exagéré est insignifiant », a dit Talleyrand, qui avait grande expérience de tout.

Maxime, avec qui je suis allée prendre un verre, m'a demandé si j'étais préoccupée, si j'avais des soucis.

– Pourquoi ?

– À cause de cette petite ride au-dessus du nez. Je ne la vois pas souvent.

– Accordez-vous de l'importance aux lettres anonymes ?

– Il me semble que je n'en accorderais aucune. Je ne peux pas savoir.

– La première vous donne un coup, en tout cas. Si j'en reçois d'autres, je ne sais pas bien, moi non plus.

Je m'étais promis de la garder pour moi et puis, pour partager mon souci, j'ai fini par l'extraire de mon sac. Maxime l'a lue et relue.

– « Depuis que vous êtes directrice pas de semaine sans conflit. » Cela implique qu'il n'y en avait pas autrefois et que l'auteur de la lettre peut comparer.

– Tout à fait faux, mais quand c'était possible, nous nous entendions, le directeur et moi, pour minimiser les anicroches. Même dans une organisation moyenne comme ici, les incidents ne manquent pas. Le livre est subversif par essence et suscite des réactions à tous les credos et leurs contraires. Nous avons déjà eu, le directeur et moi, beaucoup de difficulté à calmer un père outré dont la fille avait sorti un roman « qui n'était pas de son âge », disait-il avec force. Il avait même tenté de faire le coup de poing.

– Cela n'arriverait pas à présent qu'il y a une directrice, enfin j'aime à le croire. Tenez-vous à conserver cette lettre ? Je voudrais la faire lire par un expert que je connais bien.

– Et si j'en reçois d'autres ?

– Vous me les gardez aussi. Il ne s'agit pas, vous y avez pensé, Sophie, de découvrir le nom de l'auteur, nous n'avons pas de point de comparaison avec d'autres écritures, du moins pour l'instant, mais d'apprendre autre chose : une femme, un homme, gaucher, droitier, culture latine, nordique, graphie contrefaite, naturelle ? À partir de là, si on ne peut rien découvrir, on peut éliminer.

– Apprendre qui est l'auteur de cette lettre est probablement futile. Mais vous ai-je parlé de ces appels téléphoniques muets ?

– Oui, j'y pense. Il n'y a peut-être aucun lien, mais peut-être que oui. En ce dernier cas, il s'agirait aussi bien d'une entreprise de déstabilisation, de découragement.

– De découragement, moi ?

– C'est bien ce que je me dis, vous ?

Là-dessus nous avons eu un petit fou rire et avons abandonné ce sujet pour parler de sa bonne amie Hélène qui voudrait nous inviter. Je suis d'accord et j'aimerais beaucoup qu'elle invite aussi son frère Jean avec Philippe. Je n'ai pas de tel couple parmi mes connaissances et... je suis curieuse, je l'avoue.

– Vous ne serez guère surprise, ils n'ont rien de particulier. Rien dans la mise, rien dans la voix. Ils sont tous les deux élégants et, dans le monde débraillé de notre siècle, cela se remarque sûrement, mais ce n'est pas un critère. Si nous sommes invités le samedi, vous risquez de ne pas connaître les deux enfants qui passent une fin de semaine sur deux chez leur père, oui... ce couple qui semblait bien tenir n'a pas résisté après la mort des parents d'Hélène, la mère d'abord puis le père, un an ou deux après. Comme s'il n'y avait plus eu de modèle à respecter.

– Vous la connaissiez déjà à ce moment-là ?

– Nous étions bons amis. Un soir que nous étions seuls, son mari n'étant presque jamais là, elle est venue s'asseoir près de moi, a posé la tête sur mon épaule et m'a dit : « Console-moi. » Depuis un certain temps, je trouvais qu'elle avait grand besoin de consolation. Ne riez pas, c'était très touchant.

– C'est votre façon de dire ça...

– Bref, nous avons pris rendez-vous pour le lendemain, parce que le domicile conjugal, c'est très illégal. Il y a trois ans, maintenant.

– Je vous remercie, comme cela je sais tout. Pas de questions gaffeuses. Parfois, voulant montrer son intérêt, n'est-ce pas ? Pourquoi avez-vous dit tantôt « rien dans la voix » ?

– Vous avez lu Proust ? Il y a un passage dans *Le temps retrouvé* où il parle de ces voix à propos du baron de Charlus dont la voix avait besoin de l'accordeur.

– Et non pas de l'accordeuse ! Oui, j'ai lu Proust, bien des fois.

– Il a dit aussi « ne racontez pas tout ». Mais puisque nous sommes de grands amis, maintenant, il fallait bien que je vous dise l'essentiel et aussi ses alentours. C'est tout là-dessus. Dites-moi, est-ce que Barois vous plaît ?

– Je ne sais pas. C'est un être fermé qui ne laisse deviner ni l'essentiel ni le négligeable. Je ne l'ai jamais vu pour la peine seul à seule. La conversation et la confidence ne conduisent pas aux mêmes sentiments.

Il m'a demandé si je parlais de l'amour ou de l'amitié. Je pense que de la confidence naîtra l'amitié. Pour ce qui est de l'amour... un regard.

– Et la conversation ?

– Ce peut être tout : la nullité ou le délice.

J'ai été invitée à dîner dans une auberge située au bord de l'eau, dans l'île. Tout arrive. C'est mon ancien patron, sa très jeune nouvelle amie et la mère de celle-ci – on croit rêver, quand on compare cette façon avec les coutumes d'il y a une quarantaine d'années, je n'étais pas née, mais j'ai eu une mère, une grand-mère, je les ai entendues parler et s'étonner tous les jours –, belle femme elle aussi et qui pour un peu se poserait en rivale de sa fille. Je ne suis pas bégueule, mais je me demande ce que je fais là. Tout le temps du repas, je me disais qu'il y avait sûrement une roche qu'on allait soulever pour laisser paraître l'anguille. On l'a servie au dessert. La petite amie a une sœur qui voudrait travailler dans une bibliothèque. Bon ! quand elle aura fait sa demande accompagnée des documents d'usage, je la recommanderai à la bonne attention de notre comité.

Je suis rentrée plus tôt que prévu car je m'attendais à autre chose, par exemple dîner avec des écrivains, il y en a beaucoup qui arpentent le pays ces temps-ci, et cela aurait pu durer bien plus longtemps que cette demande de patronage.

Comme la voiture tournait le coin, j'ai vu une autre voiture, devant chez moi, qui démarrait à peine, puis prenait brutalement de la vitesse. Son manteau planant derrière lui, par ce froid, quelqu'un entrait chez moi, en courant. Si j'avais été avec Maxime, je lui aurais demandé d'entrer avec moi, mais au chauffeur...

La porte était refermée à clef et celle-ci suspendue à son clou. J'y touchai, elle était froide. Pas trace d'être vivant, les lumières éteintes. Je montai, un peu de crainte au creux de l'estomac.

Il était couché, couvert jusqu'au menton, les yeux fermés. Ses vêtements de nuit sur une chaise.

– Tu couches nu par ce froid ? ai-je dit en rabattant la couverture. Tiens ! tu dors tout habillé et avec tes souliers ? Tu es frileux !

– C'est interdit de sortir ?

– Cela semble l'être, puisque tu t'en caches. Je ne te demande pas d'où tu viens. Je veux seulement savoir pourquoi fais-tu cela ?

– Parce que j'ai envie d'avoir ma vie à moi, entre autres choses.

– Et qu'avais-tu donc tant, là où tu étais ?

Sans répondre, il est sorti du lit et a commencé à délacer ses souliers. Je n'ai pas attendu la suite.

– C'est ça, sauve-toi, a-t-il crié. Tu as peur de voir mes pieds, jusqu'où ils m'ont mené.

Cette sorte de question n'amène pas de réponse. Je suis rentrée dans ma chambre, consternée, avec un terrible désir de lui dire de s'en aller tout de suite, dans la nuit, dans le froid, et qu'il pouvait crever... C'est le genre d'homme qui peut vous apporter encore plus d'ennuis mort que vivant.

Je ne me souvenais pas très bien de cette excursion. Je ne comprends pas ce qu'il y a d'écrit sur ce coupon. Heureusement, il y a deux lignes en anglais : « *Car for Izmir, 2 persons* ». Le reste... comme les choses peuvent prendre peu de temps à devenir lointaines, effacées. Il faut dire que j'ai travaillé ardûment à les enkyster dans cet oubli. Il reste, au fond du tiroir, un beau coffret qui ne contient plus de billets d'avion ni de factures d'hôtels, point de photos (sagesse !) mais quelques cartes postales qui me rappellent les lieux sans les événements. J'ai décidé d'oublier, mais pas tout et je retournerais sans doute... pas sûr. J'attendrais des temps moins troublés.

Il y avait dans le coffret, je me les rappelle, deux photos prises à Izmir et détruites lors du grand coup de balai. D'abord, lui, Gontran sur fond de mer, entouré d'une grappe d'enfants quémandeurs : l'autre, où j'étais prise avec trois fillettes du lieu qui s'étaient offertes à figurer, elles étaient là pour ça, semble-t-il, endimanchées, couronnées de fleurs de papiers multicolores. Ce devaient être des sœurs, mêmes beaux grands yeux sombres au-dessus de gros nez offensants pour ces jeunes visages. Gontran leur avait donné quelques pièces et c'était peut-être plus qu'il ne croyait car elles partirent en courant, parlant et riant fort. Dans ces pays, on a le sentiment de toujours donner trop ou trop peu.

C'était notre voyage de noces, le seul voyage un peu important que nous ayons fait. Il y eut d'autres projets qui n'ont jamais changé d'état. Gontran, cependant, a fait une tournée d'un mois aux États-Unis. Je n'ai pas regretté de n'avoir pu y aller, tout n'ayant pas été agréable. Nos projets communs auraient pu se réaliser avec un peu de temps si ce n'avait été Gontran lui-même qui changea d'état : de celui de mari en celui de fugitif pour changer encore en celui du prodigue. Pour ce prodigue-là, il n'y eut ni veau gras ni tunique neuve.

Il serait revenu un mois, deux mois après sa fuite en disant : « Pardonne-moi, j'ai eu besoin de prendre l'air, de voir autre chose, d'autres gens, d'autres femmes – pourquoi non ? –, je m'ennuyais et mon patron m'avait refusé des vacances », j'aurais sûrement pardonné et ouvert les bras cette fois. Après six ans, il est arrivé alors qu'il n'y avait plus la moindre place pour lui dans ma vie et surtout pas dans mes bras. Un homme qui arrive un soir, à la tombée du jour, qui sort de l'ombre comme un voleur, un homme dont on ne sait pas d'où il arrive, maigre à faire peur, ne ressemblant plus que vaguement à l'objet de ce grand amour – tu sais bien, Sophie, ce grand amour, tu l'as tout à fait oublié ? – et même ne ressemblant à rien. Il me venait en le regardant sous le lustre du salon où il se tenait gauchement, des idées saugrenues : où a-t-il pu acheter ces vêtements démodés à l'extrême, cintrés à la taille et s'évasant aux hanches, cette cravate large d'une main robuste ? Dans quel pays s'habille-t-on encore comme ça ? Parlant de main, il a les ongles, ses beaux ongles soignés de jadis, rongés jusqu'à former un bourrelet en dessous. Un homme adulte qui se met à l'onycophagie – il faut bien rire un peu – c'est vraiment mauvais signe. Détérioration physique et mentale. Ce qui a pu lui arriver, ce qu'il a vécu, connu ?

Je me suis bien égarée – le moyen de faire autrement quand je parle d'un être aussi aberrant –, je parlais de photos prises au cours du voyage en Grèce, en Turquie. Il n'en reste rien, pas même celles où j'étais seule devant l'objectif, car celui qui photographie, il est là aussi, comme le peintre derrière son tableau. « Tourne-toi un peu, tu as de l'ombre sur le visage, ne tiens pas ton sac sur le ventre. » On a cela encore longtemps dans l'oreille, ces propos affectueux pour qu'on soit aussi belle que possible, et comme cela fait mal, on détruit, on déchire, au panier ! Le

Parthénon ou la Mosquée bleue y tombent en même temps.

Détruire une photographie, c'est vite fait, toutefois on sait bien que d'un bateau dans le port d'Istanbul, la Mosquée bleue est toujours là à faire la belle, surtout par clair de lune et, comme il y a des bateaux, il y a aussi des amoureux qui fondent de plaisir à regarder tout ce bleu répandu sur la ville.

Bien sûr, en descendant du bateau, le matin, ils verront dès les premiers pas une saleté séculaire remplir chaque renfoncement, créer une pente entre le bord des trottoirs et la chaussée. Le chiffon de papier qui en émerge un peu est peut-être là depuis Kemal Atatürk. Je choisis de ne pas le vérifier, sa saleté est assurément d'une grande dangerosité. Qui sait s'il n'y a là un secret d'État qui s'est perdu au cours d'une course folle. Il se peut, les vrais secrets sont perdus.

Ils verront aussi tout un peuplement de chats, surtout des chatons car l'espérance de vie... Ils sont tous galeux, et n'ont pas la force de miauler ni de sortir de sous les arbustes où ils sont nés sans doute et où ils mourront aussi, maigre souffle si vite étouffé. À quoi servent-ils ? À augmenter la charogne comme si on en manquait ? Il n'y a pas que des petits chats, mais des chiots presque autant, et si ceux-là gardent les yeux fermés, ceux-ci nous regardent avec des yeux pleins de reproche, d'attente, de faim jamais assouvie.

Comme il se doit, nous nous sommes déchaussés pour entrer dans les mosquées (un peu inquiets du sort de nos souliers, mais ce doit être un gros péché que de les voler, car nous les avons toujours retrouvés et nos voisins aussi), les mosquées toutes plus belles les unes que les autres. Nous sommes allés au souk où les offres d'occasions sont sensationnelles et assourdissantes. Puis nous avons repris notre bateau et j'ai soigneusement oublié la cabine où nous avons vécu les tête-à-tête de notre voyage.

Depuis le jour où je me suis aperçue que Gontran était entré dans ma chambre et avait exploré mes tiroirs, du moins celui où je range mes dessous, je ferme ma porte à clef. J'ai une porte un peu ancienne – la maison l'est – dont la serrure est de celles où on pouvait regarder par le trou. Jusqu'à ce jour-là, la clef ne me servait de rien si ce n'est de boucher ce trou par l'intérieur. Maintenant, je ferme en quittant ma chambre et j'emporte la clef. Je ne sais s'il s'en est aperçu. Il faut dire que nos conversations et rien, c'est à peu près pareil. Par surcroît de précautions, je ferme aussi les tiroirs de mon secrétaire. Je n'y laisse pas grand-chose : à la bibliothèque, j'ai des tiroirs bien discrets et un coffre. J'y ai transporté ce qu'on garde chez soi d'habitude, mon passeport, mes cartes d'associations, le dernier rapport de banque et mes carnets comme celui-ci quand ils sont complétés. Depuis que je reçois des lettres anonymes – cela continue –, je les y dépose aussi.

Je considère ce que je viens d'écrire et je me demande si je ne suis pas en train de développer un petit délire de persécution. Je me connais bien. Je sais qu'au lieu de me pousser à bout, ces histoires finiront par l'indifférence, les enveloppes ne seront plus décachetées, le téléphone affichant « confidentiel » ou « numéro inconnu » ne sera plus décroché jusqu'à ce que les péripéties tarissent faute de réaction.

Maxime, à qui j'avais confié la première de ces lettres et quelques autres encore, avait un air mystérieux quand il est venu, comme il dit en baissant la voix, « faire son rapport ».

– Chère Sophie, vous allez être étonnée : les écritures, même déformées, ne sont pas toutes de la même personne. Une seule est unique, la première. Il y en a trois qui sont de la même femme et deux d'une autre.

– Et la première ?

– D'un homme. Il y a deux participes passés qui sont au féminin, mais on voit nettement que le *e* a été mis après coup ainsi que les points de suspension un peu partout, ce qui passe pour une manie féminine, que l'auteur a voulu ajouter, mais ils n'ont pas toujours leur espace. C'est la seule lettre écrite en caractères moulés. Pour le moment.

– Et les autres ?

– Les deux faites par la même main sont curieuses. Écriture renversée mais inhabituelle, ce qui se trahit de temps en temps par une lettre qui prend sa pente naturelle. L'originalité, c'est la signature, un simple paraphe qui n'a rien à voir avec un nom. Au reste, il n'est pas semblable d'une lettre à l'autre. Ce qui peut pousser quelqu'un à faire cela est assez complexe. Maquiller une lettre anonyme en lettre signée, mais de façon illisible, cela ne peut servir, il me semble, qu'à persuader l'auteur qu'il n'est pas si méprisable : il signe. De façon illisible ? Ce n'est pas son problème !

– Vous me dites tout ça de façon fascinante. J'ai presque hâte d'en recevoir d'autres.

– J'ai fait, autrefois, quelque recherche sur la part de l'inconscient dans la haine et tous les sentiments voisins, l'envie, la jalousie, l'ingratitude, la cruauté et autres scélératesses. Je m'intéressais à tous les sentiments, comment ils naissaient, chez qui ils trouvaient où se loger. J'avais envie d'écrire des romans psychologiques.

– Et alors ?

– Vous savez que je n'en ai rien fait.

Là, j'ai été encore plus étonnée. Maxime n'est pas, il me semble, homme à devenir romancier. Il me répond que le temps qui passe... il vous change, bien sûr. Il fait de la recherche linguistique, mais il n'en parle pas beaucoup.

– Pour ce qui est du roman, je ne m'en sentirais pas le courage. Il faut pour plaire décrire des obscénités, des violences, des cruautés, filles forcées, garçons châtrés, du sang partout, tout cela avec un vocabulaire qui fait rougir non seulement le lecteur, mais peut-être bien l'auteur même. Je m'en sens bien incapable.

Là-dessus, nous sommes partis sur la littérature romanesque. J'ai dit que j'aimais les personnages beaux et désirables, qu'il y a déjà suffisamment de gens laids dans la vie sans qu'on en rencontre de trop dans les livres, que les romans dont les personnages sympathiques sont beaux ne coûtent pas plus cher pour autant et qu'on se doit de garder la laideur pour les méchants.

– Ceux qui vous écrivent ces vilaines lettres sont, j'en suis certain, très laids. Voilà donc un indice précieux.

– Si nous partons de ce côté-là, nous aurons trop de suspects.

Maxime, en s'excusant d'être indiscret, m'a demandé si, du côté de mon « pensionnaire », il y avait du nouveau, si je ne pensais pas que...

– ... Est-ce que c'est exclu que, de cette fugue si longue, il ne reste pas des attaches, des secrets, de l'inexpliqué, même s'il n'a aucun contact avec l'extérieur, puisqu'il ne reçoit ni ne sort de chez vous ?

Je ne lui avais pas dit encore qu'au contraire, il était sorti un soir, que je l'avais vu descendre d'une voiture et rentrer chez moi, juste comme je tournais le coin. Si je n'avais pas eu à payer la course, j'aurais pu le rattraper et rentrer en même temps.

Maxime me regardait, ahuri.

– Je suis soufflé. Comment ! Voilà un homme malade au point de ne presque pas quitter la chambre de la journée, vous le surprenez rentrant à la course jusqu'à son lit, il a l'agilité de s'y glisser tout habillé, de faire celui qui dort, et il est trop malade pour s'en aller ?

Comment lui expliquer pourquoi, ce soir-là, je ne l'ai pas mis dehors, je n'ose pas dire « chassé », cela me gênerait. Je voudrais trouver quelque chose de plausible, de logique. Ce soir-là, je me suis dit qu'il n'était pas vraiment malade, mais quand je vois sa maigreur !

– Certaines personnes sont maigres de nature.

– Gontran était plutôt potelé autrefois. Il est revenu comme ça, la peau et les os.

– Ma pauvre Sophie, qu'est-ce que ce coquin ? Il est parti à l'improviste, sans raison connue, il est revenu sans que vous sachiez au juste pourquoi, il est malade sans que vous connaissiez sa maladie sauf la maigreur qui est plutôt un symptôme, il repartira comme il est revenu, vous verrez, et peut-être en emportant les petites cuillères d'argent.

– Ce serait trop beau et pas trop cher payé ! Pourvu qu'il ne parte pas en faisant trop d'esbroufe.

– Écoutez, il me semble être l'homme furtif par excellence.

Pour le moment, les lettres se sont faites plus rares, une seule pour toute la semaine. Je l'ai donnée à Maxime qui est au courant, maintenant, des caractères particuliers de chacune. Son expert lui a tout expliqué.

– Elle me semble être du groupe B.

Nous leur avons attribué une catégorie, comme s'il s'agissait de groupe sanguin, ce qui prouve que nous prenons déjà tout ça en riant.

– Vous voyez, ce *t* est différent de ceux des autres lettres. Il appartient à l'écriture forcée. Les *m* sont toujours semblables, ils sont du « naturel qui revient au galop ».

Ils se donnent bien du mal, ces épistoliers inconnus. C'est peut-être pour cela que les lettres se sont raréfiées : ils sont fatigués. Maxime a remarqué que la dernière lettre disait : « Vous n'êtes plus là pour longtemps. » Cela m'avait pour ainsi dire échappé, je n'y avais pas porté plus d'attention qu'au reste. Il faut bien qu'il y ait une menace ou deux, celle-ci ou une autre, ce n'est pas encore menace de mort. Si, comme le dit Maxime, il y a quelqu'un qui veut me faire peur en souhaitant me faire commettre quelque bourde impardonnable à la bibliothèque, ce serait une histoire assez simple : « vous occupez une situation que je veux avoir, je vais vous faire trébucher ». Autre « si » : ce sont trois personnes qui ont un lien entre elles, et il faut considérer le complot avec un motif inconnu et peut-être grave. Sinon...

– Sinon, il y aurait coïncidence ? Ce serait trop beau, on tomberait dans le divertissement, la récréation, la partie de cache-tampon.

– Riez, riez, je croirais volontiers qu'il y a, au moins, entente entre le groupe B et le C... pour vous ennuyer seulement. L'autre serait plutôt du côté coïncidence, mais avec quelque chose de plus désagréable que le divertissement. Laissons cela. Barois m'a téléphoné ce matin. Il m'a parlé de vous en termes très amicaux mais il s'est plaint de ce que vous ne l'appeliez jamais. Je l'ai taquiné : « Êtes-vous en train de tomber amoureux ? » À quoi il a juste fait : « Eh eh ! »

J'ai promis à Maxime de téléphoner à B. dès demain midi. Justement, demain, je compte terminer le classement des romans qui m'occupent depuis un bon moment. Mais pourquoi Barois se plaint-il de mon silence, alors qu'il ne téléphone jamais ?

– Il est d'un naturel timide, bien caché sous une hardiesse non dénuée, toutefois, de courtoisie. Depuis la mort de sa femme il est resté très fermé par périodes. Je crois qu'il est tiraillé entre divers sentiments, le désir d'être heureux, d'oublier, de recommencer, et la fidélité au-delà de la vie.

– Oui, mais l'amitié...

– Il ne pense peut-être pas du tout à l'amitié.

Je vais être, à présent, très embarrassée, maladroite. Nous avons continué à parler de Barois, si bien que Maxime en est venu à me raconter la mort de Manuelle Barois. J'en connaissais le peu qu'on avait dit autour de moi à l'époque, il y a six ou sept ans. Maxime ne se souvient plus de la date exacte. Quoi qu'il en soit, elle venait de soutenir sa thèse de doctorat en l'honneur de quoi son père lui avait offert une voiture qu'elle avait appris à conduire comme elle agissait toujours : enthousiasme et fougue. Ce matin-là, il y avait un soleil sans merci, elle roulait vers l'est. Éblouie, elle n'a pas vu les feux changer. On m'avait dit qu'elle avait leurs deux enfants avec elle. Les Barois n'avaient qu'un fils, l'autre petit était un camarade de garderie et c'est pour ça que Barois a eu tous les ennuis possibles au moment où lui arrivait le pire malheur de sa vie. Les parents de cet enfant, des voisins et même des amis ont été insatiables. Bref, c'est surtout la mort de Manuelle et de leur fils dont il a mis du temps à guérir, le reste c'était de l'argent, disait-il en faisant la petite grimace qui lui est coutumière. Pauvre homme, on peut dire qu'on ne l'a pas laissé recueilli avec sa peine.

– Oui, même si cela ne se fait plus beaucoup, Barois a voulu qu'elle soit exposée avec son fils près d'elle, mais un jour seulement. Quand la nuit est tombée on a fermé le cercueil. Inoubliable ! L'accident ne l'avait pas défigurée, une trace bleuâtre au front... Si jamais Barois vous invitait chez lui, vous comprendrez pourquoi elle était inoubliable quand vous verrez la grande photographie par Yosuf Karsh. Vous savez comment cet artiste savait capter de son modèle l'attrait essentiel. Chez Manuelle, c'était le regard. Karsh lui avait demandé de regarder au loin au lieu de fixer l'objectif pour donner l'illusion que vous la regardez dans les yeux. « Cela ne vous conviendrait pas, lui avait-il dit. Il faut que vos yeux voient bien plus loin, très loin. » De sorte qu'en considérant cette savante photo, on se trouve en situation d'implorant : « Regarde-moi, mais regarde-moi. » Manuelle voit autre chose. Cela va bien à cette belle femme distante.

J'ai donc téléphoné. Contre mon attente, il m'a parlé assez longuement.

À vue de nez, il ne m'a jamais paru de l'espèce téléphoneuse, celle qui ne se décide pas à raccrocher, tant cette conversation à l'aveuglette lui donne de bien-être. « Pouvez-vous parler encore un moment ? » m'a-t-il dit deux ou trois fois. Il a été entendu qu'il passerait à la bibliothèque à la fin de l'après-midi demain, après quoi nous ferions une promenade sur la montagne et irions dîner : « Juste vous et moi. »

J'achevais mes dernières fiches et j'avais placé le collant indiquant que nous devons ce livre – c'était *Le portrait de Dorian Gray* – à la générosité d'Évariste Barois, quand il a frappé à la porte. Il s'est arrêté devant la table :

– Ah ! mes vieux romans. Je ne les ai pas vus de longtemps : j'ai l'impression que Maxime les avait laissés dans les voûtes où je les avais mis.

L'air un peu attendri il restait debout tout en prenant de mes nouvelles et en tenant les menus propos que l'on échange à l'arrivée. Tout en parlant, il a pris un livre, puis un autre, les a ouverts et fait glisser les pages sous son pouce. Ce geste m'a rappelé les papiers, photos, billets de banque et quoi d'autre que j'ai recueillis dans ces livres donnés d'abord à Maxime, mais que celui-ci semble avoir peu fréquentés.

– J'oubliais, j'ai une enveloppe à vous remettre : toutes les petites choses qui vous ont servi de signets, je suppose.

Il m'a paru qu'il prenait l'enveloppe et l'ouvrait avec hâte.

– Je vous remercie. Je vois là l'écriture de maman... et mon billet de cent francs de l'avant-guerre, une relique que j'avais perdue... et le chèque fait pour vous savez qui, vous avez vu le nom, alors qu'il avait un très pressant besoin d'argent, une affaire de femme et même de jeune fille. Grâce à lui, j'ai tôt appris ce que peut être l'ingratitude. Vous n'avez trouvé rien d'autre ?

– Pourquoi me demandez-vous cela ?

– Écoutez, je vais être franc. Je vous vois rougir. J'ai égaré à un moment de ma vie où je traversais des jours et des nuits d'inquiétude, un rapport médical que j'étais certain d'avoir glissé dans un livre, je ne savais plus lequel, puis j'ai décidé d'oublier ça, d'un oubli pas très profond puisqu'en voyant l'enveloppe, cela m'est revenu, le papier mais pas le livre, le livre mais pas le titre.

– Oui, je vois de quoi vous parlez, je l'ai trouvé. J'ai vu que vous n'aviez plus raison d'être inquiet. Vous l'aviez laissé dans la *Chronique du règne de Charles IX*. Pardonnez-moi d'avoir été indiscrète, les feuilles étaient repliées du côté de l'en-tête. Avant de m'en rendre compte, j'avais lu « Laboratoires X » avec l'adresse à Marseille, puis plus bas vos initiales et : « Réaction B-W négative ». Je pense que si le résultat avait été différent vous ne l'auriez pas égaré.

– Vous ne l'avez pas mis dans l'enveloppe. Pourquoi ?

– Je l'ai brûlé tout de suite. Je n'avais pas l'intention de vous en parler et j'ai pensé qu'il ne fallait pas laisser cela dans un livre que quelqu'un d'autre pouvait ouvrir. Si j'avais prévu que nous en parlerions à un moment comme celui-ci, si facile en somme...

Debout près de moi, un peu pâle, les yeux baissés, il était silencieux et même muet. C'est moi qui l'ai pris dans mes bras et qui l'ai embrassé, longtemps, longtemps, jusqu'à ce que la main qu'il tenait sur mon épaule cesse de trembler : « Facile, maintenant », juste un murmure.

– Allons dîner, voulez-vous ?

Nous avons commencé par rouler une petite heure par de gentils chemins de campagne, puis nous avons trouvé une petite auberge où nous étions presque seuls, quelques dîneurs solitaires à l'autre bout de la salle...

Avec Barois, je n'avais connu que la conversation brillante qui vous met l'esprit en ébullition. Ce ne fut le cas à aucun moment : confidences, aveux, confessions même, mais en ce domaine-là aussi, il sut être excellent. Je n'avais pas grand-chose à dire et je savais déjà le début de son histoire par ce que Maxime m'en avait dit. Quand il en fut à sa vie après la mort de Manuelle, nous étions revenus à la voiture. J'ai deviné qu'il avait voulu attendre ce moment-là, la nuit était tombée, la route toute déserte, nous roulions *piano* et nous n'étions pas placés l'un en face de l'autre les yeux dans les yeux.

– Après la mort de Manuelle et de notre enfant, après aussi que toutes les affaires suscitées par la mort de l'autre petit furent réglées, j'étais seul et ne voulais pas ne pas l'être. J'avais dû vendre la maison. J'ai demandé six mois de congé et j'ai fait comme tout homme qui se trouve dans cette situation, je suis parti. Cette fois, j'ai choisi Marseille plutôt que Paris. Je ne tenais plus beaucoup à la vie.

– Vous avez pris des risques.

– Pas autant qu'on peut le croire. Disons que j'ai fréquenté des personnes dont la simple compagnie, comment dire ? ne peut être le plaisir de la seule conversation. Il faut dire aussi que je suis de nature plutôt hypocondriaque. Bref, je suis allé consulter, j'ai demandé l'analyse dont vous avez trouvé le résultat, malgré les propos rassurants du médecin.

– Que disait-il ?

– Avec raison, que j'avais la rougeole. Eh oui ! quand les résultats son arrivés, j'ai beaucoup ri, comme vous. Je ne l'avais pas eue dans mon enfance et nous avons supposé que l'une ou l'autre de ces dames avait un marmot rougeoleux. Ce qui ne m'a pas empêché, quelques mois plus tard, de demander une autre analyse et de retrouver, vous l'avez constaté tout à l'heure, le souvenir de ma terreur qui est tout autant angoissant.

– Vous voilà rassuré pour toujours ?

– Pensez-vous ! Depuis, j'ai consulté pour la méningite, différentes sortes de cancer et quoi d'autre ?

– La peste bubonique, la lèpre mutilante.

– Vous me trouvez ridicule ?

– Pas du tout. J'ai souvent des maladies de ce genre, mais je n'ai jamais le temps de consulter avant leur guérison.

Après quoi, si bien partis, nous n'avons plus échangé que des propos légers, soulagés tous les deux d'en avoir fini avec les plus graves. Mais je me demandais quand même par quel hasard tous ces « signets » n'avaient jamais été retirés : « J'ai l'impression que Maxime n'aime pas trop les romans, s'il les avait lus, c'est lui qui vous aurait remis une enveloppe de trouvailles. » C'est ce qu'il pense aussi tout en faisant remarquer que ces romans-là, tout le monde les avait lus avant d'avoir atteint la trentaine. Puis il me dit qu'il a toujours l'habitude de marquer sa page avec le premier papier qu'il trouve dans ses poches. Encore aujourd'hui en lisant une de ces œuvres qu'on reprend plusieurs fois dans la vie, il trouve les talons d'un billet de théâtre, d'entrée dans un musée, où il a vu une pièce ou une exposition avec Manuelle et cela le plonge dans cette vie perdue pour des heures encore. J'ai pensé, sans le dire, aux justificatifs de mon voyage sur le bateau de mes noces.

Quand il m'a laissée à ma porte, il m'a dit d'une voix qui semblait toute serrée dans la gorge : « J'ai beaucoup d'affection pour vous. » La dernière fois, il avait dit amitié. Attendons... D'habitude, je ne suis guère portée vers ceux qui ont subi de grands malheurs. Je crains de ne pas être à la hauteur et de les blesser par ma terrible disposition au bonheur qui, malgré toutes les difficultés inévitables, semble rester en moi indéracinée et revenir à la surface après le passage d'un mauvais sort. J'y pensais encore, une fois rentrée chez moi, et j'ai sorti de mon tiroir la dernière carte de mon ami Pierre qui m'écrivait : « Vous avez choisi le bonheur. C'est un don immense que vous nous faites, chère Sophie. Peut-être ne vous l'avais-je jamais dit ? » Il n'écrit presque jamais, c'est dommage, mais toujours pour dire de ces choses-là. C'est un don également. Il me dit aussi que je devrais écrire des romans avec des personnages qui finissent par trouver les recettes du bonheur puisqu'elles existent bien quelque part !

Je ne suis pas allée voir comment les choses se passaient dans la chambre d'amis. A-t-il dîné ? Je ne veux pas le savoir. Comme il m'arrive souvent, je crois entendre des craquements, des froissements, des chocs légers dans le corridor ou dans l'escalier. Peut-être qu'il sort encore, je ne vais pas vérifier. Ou bien, il ne dort pas et il va voir la télévision sourdement. Il me revient que je n'ai pas retrouvé le programme, un soir de la semaine dernière, et que le lendemain, je l'ai aperçu sur le parquet en dessous du fauteuil. J'ai l'impression qu'il prend de l'audace. Peut-être qu'il s'amuse à laisser des traces pour m'intriguer. Si c'était un signe qu'il va mieux, à la veille de partir. Je pourrais enfin cesser de parler de lui.

Je tenais déjà ces cahiers, par intermittence il est vrai, depuis longtemps et si je feuillette un de ceux que j'ai remplis avant l'irruption de G., il n'est jamais question de lui. Je pense que j'ai écrit son nom au moment du divorce et puis plus rien. S'il n'était pas revenu, il aurait fini par faire partie des amours de jeunesse si bien oubliées que l'on ne retrouve pas de prénom à mettre sur un visage.

Le médecin qui visite Gontran tous les mois a essayé plusieurs fois de me rejoindre, j'ai vu son numéro, mais quand j'ai rappelé il avait déjà quitté son cabinet, je rentre tard. C'est pour cela qu'il m'écrit ce court billet : « Il m'est impossible de continuer à voir votre malade. Je vous prie de m'en excuser. Je vous en donnerai les raisons de vive voix, si vous le désirez. » Bon ! qu'est-ce qu'il a encore fait, celui-là ? Déjà que l'aide-malade m'a dit qu'elle ne viendrait plus que le samedi quand je serai là. Interrogé, Gontran m'a répondu que c'était une cinglée. « Elle pense que j'en veux à sa vertu et moi, tu comprends, la vertu ! » Là-dessus, il s'est mis à rire de façon fort désagréable.

Pour ce qui est du médecin, je ne lui ai pas encore parlé. J'aime autant ne pas savoir, tout en me disant que je serai forcée, un de ces jours, d'entendre la vérité. Je vais répondre un mot bref et aimable. Je médite quelque chose.

J'ai montré le billet du médecin à Maxime qui a réagi promptement : « Pour refuser ses soins, il faut qu'il ait des raisons sérieuses. » Oui, mais de quel ordre ? C'est cela que j'aime autant ignorer. D'autre part, est-il tenu de me dire la vérité, le secret professionnel s'exerce-t-il contre la famille (au mot « famille », Maxime a un petit mouvement) ? Supposons que le patient se montre insolent, impoli, menteur, et j'imagine très bien que c'est une chose possible, cela ne relèverait quand même pas du secret !

Maxime me répond par une petite mine puis :

– Vous êtes trop bonne. Vous m'avez dit que vous n'auriez pu laisser sans abri un homme que vous avez aimé et qui ne saurait où aller. Ne pensez-vous pas que si vous aviez passé outre, il serait retourné d'où il venait tout probablement ? Que vous auriez maintenant oublié cet épisode ? Entendez-moi, je ne veux pas dire que cela serait sorti de votre mémoire. Cela vous serait redevenu indifférent et ce serait bien suffisant, croyez-moi.

Il me propose l'indifférence comme on dit à une jeune veuve qu'elle peut encore aimer : « Vous avez été indifférente, vous pouvez l'être encore. » En attendant, ce qui est fait est fait.

Au reçu de mon mot, le médecin a téléphoné, je passerai donc le voir à son cabinet. Je suis harassée. En plus, les choses ne sont pas faciles à la bibliothèque. Nous avons eu des ennuis avec le chauffage et aussitôt après, avec les conduites dans les murs du hall d'entrée. Le personnel se plaint. Je pense aussi aux livres qui préfèrent une température et une humidité constantes. Les êtres humains peuvent porter des tricots chauds, les enlever, les remettre, ils ne sont pas complètement à la merci de la machinerie. Cela fait trois jours qu'il n'y a personne dans les salles de lecture. Les abonnés qui viennent se ravitailler ne restent pas longtemps. C'est pour eux que nous n'avons pas fermé les portes.

Bref, on finit toujours par sortir de ces impedimenta et j'ai pu passer chez le docteur, charmant au demeurant. Il m'a expliqué qu'il a beaucoup de visites à domicile, c'est une partie de sa spécialité, si on peut dire. Il est persuadé que Gontran le fait « lanterner » selon son expression : « Il connaît, de toute évidence, certains signes de diverses manies et il s'en sert pour me berner ou me mystifier. Il fait des gestes répétitifs en se regardant les mains attentivement. Si je lui pose des questions sur son état, il me répond que marcher longtemps le fatigue et qu'ensuite il dort mal. « Vous demandez où je vais marcher ? C'est mon secret. J'ai beaucoup de secrets. » Puis il ajoute après diverses contorsions du visage : « Je ne suis pas fou. » Pour moi, ce sont les propos d'un homme qui feint la folie, surtout le « je ne suis pas fou », il a entendu dire que les fous disent ça. »

Je suis éberluée. Je sais qu'il est fort capable de singeries pareilles, mais du diable si je comprends pourquoi. Le docteur est dubitatif.

– Je pense qu'il y a certainement un motif à cela. Il a déjà fait une fugue. Il en prépare peut-être une autre (et je sens mon visage qui s'éclaire, ce qui fait rire le docteur). Il voudrait n'être pas tenu pour responsable de... je ne sais quoi. Ou bien il veut tout autre chose, c'est fort possible.

– Ce n'est pas tout, qu'est-ce qu'il a, de quoi souffre-t-il ?

– De rien, je crois. Il s'est installé chez vous en malade et il l'était en un sens, c'est-à-dire sous-alimenté, des bronches de fumeur, des intestins de déshydraté chronique. Tout, d'une mauvaise hygiène, à un point assez grave, c'est-à-dire exposé à n'importe quelle maladie, contagion, etc. Vous voyez ? Il est très maigre, mais c'est constitutionnel, il l'a toujours été, pas tout autant peut-être...

– Non, mais non, il était un peu potelé.

– Ah ! Ce que vous me dites là confirmerait ce que je me suis tout de suite demandé à savoir s'il aurait vécu dans un des pays où l'on mâche la coca. À part la maigreur qu'il aurait pu développer par l'habitude de manger très peu, j'ai constaté que les molaires sont usées, les gencives déchaussées.

– Il a donc cessé ces pratiques, ce n'est pas ici qu'il peut se ravitailler.

–Est-ce qu'on sait ? Il est seul toute la journée. Vous comprendrez que je n'ai rien à faire de ce patient-là. Quand il a fini de faire ses singeries, il refuse de répondre à mes questions ou bien il se met à rire et dit « secret professionnel ». Si jamais il tombe malade, appelez-moi, je viendrai.

Je suis rentrée par le chemin des écolières, j'avais de quoi ruminer et nul désir de me retrouver à la maison avec ce zombi. Je ne lui dirai pas que le docteur ne viendra plus. Ce sera bien assez tôt quand il s'en rendra compte. Quant à l'aide, rien ne semble indiquer qu'elle soit plus qu'ennuyée par un comportement, disons... inapproprié.

En arrivant à la maison, après avoir regardé à droite et à gauche – je pense toujours, maintenant, que je puis voir surgir... je ne sais, quelqu'un –, je me suis assise au salon et j'ai pris un livre. Malgré tout, j'ai pu lire attentivement pendant une demi-heure. Apaisée, je me suis endormie.

– On ne mange pas ce soir ?

Il était si près que j'ai été certaine qu'il m'avait touchée. J'ai eu un mouvement de recul qui l'a fait rire.

Grand branle-bas au travail. Nous venions juste de sortir des difficultés matérielles des jours passés qu'un des employés à la comptabilité a été pincé en une sorte de flagrant délit par Céline. Il y a une grande animosité entre ces deux-là, elle n'est pas disposée à le couvrir, il s'en faut. Voilà comment les choses sont arrivées : il se dirigeait vers la sortie, avec à la main une pile d'enveloppes qu'il a laissé tomber, le diable sait pourquoi, maladresse, mouvement d'irritation en apercevant Céline ? Celle-ci, certainement pas par gentillesse, curiosité plutôt, se mit à l'aider à ramasser toute cette paperasse. Elle ne put « s'empêcher de voir la suscription d'une des enveloppes » – il fallait entendre le ton qu'elle avait pour narrer l'incident.

– Vous écrivez à la directrice, cher ami, laissez-la-moi, je m'en vais à son bureau.

– Rendez-moi ça, rendez-moi ça !

Des cris. C'est ce qui m'a attirée dans le corridor. L'homme était pâle.

– Rendez-lui cette enveloppe, Céline.

Ce qu'elle fit en me la passant sous le nez.

– Et vous, Amable – il s'appelle comme cela, ironie du sort –, entrez dans mon bureau.

J'étais mal à mon aise, je n'aime guère être en situation d'autorité quand il ne s'agit pas du travail. Je voyais l'enveloppe blanche qui était pour l'instant bien malmenée.

– Je suppose que vous voulez la lire ?

Un homme qui a peur, qui voudrait quand même faire l'arrogant, c'est pénible à regarder.

– Non, gardez-la. Laissez-moi seulement l'enveloppe. Posez-la sur mon bureau.

La séparation des deux choses mit quand même un certain temps.

– Je suppose que je ne dois pas revenir demain ?

– Pourquoi ? Cette petite besogne ne vous a pas empêché de faire votre travail et je pense bien que, maintenant, vous en aurez terminé avec ça, non ? Croyez bien que je ne cherche pas à vous humilier. Vous avez vingt ans de plus que moi et je peux comprendre que vous n'aimiez pas ce rapport de vous à moi, que vous vous sentiez inconfortable. Puis-je vous demander si vous avez une autre raison de m'écrire ces lettres ?

– C'est la première fois que je dois obéir à une femme et je n'aime pas ça. Je trouve ça... dégradant.

– Il me semble qu'à part notre fonctionnement régulier, je n'ai jamais exercé d'autorité indue envers vous. Je n'ai, au reste, presque jamais l'occasion de vous parler.

– Je le sais bien, mais quand vous étiez à la comptabilité, vous n'étiez pas si fière ?

Je n'avais pas pensé à cela : nous avons travaillé ensemble à la comptabilité et il y est toujours. À le regarder mieux, j'ai vu qu'avec un mot de plus, il serait au bord des larmes et que ce serait une chose qu'il aurait de la difficulté à me pardonner. J'ai cherché à orienter le propos sur un autre plan, sans tomber dans le « nous avons eu du bien mauvais temps ».

– Si je conserve l'enveloppe, Amable, c'est pour la faire comparer à d'autres écritures. Je vous la rendrai. Je ne suis pas vindicative.

Il est parti en murmurant merci plusieurs fois. Pourvu qu'il n'assomme pas Céline après ce petit mélodrame qu'elle a déclenché. Quand on dirige une affaire, rien n'est plus embêtant que les rancunes. J'ai laissé la porte tout contre, mais je n'ai rien entendu.

Presque tous les jours, Maxime téléphone juste avant l'heure où je pars, mais aujourd'hui, j'ai pris les devants.

– J'ai une grande nouvelle : un des épistoliers est connu, il est de la maison. Il avait une lettre pour moi qu'il a laissé échapper dans le corridor.

– Vous l'avez ?

– Pas la lettre, seulement l'enveloppe. Je lui ai rendu la lettre.

– Qui disait ?

– Je ne l'ai pas lue, je la lui ai rendue.

– Ah ! la patronne au grand cœur : « Retournez à votre bureau, vous êtes assez puni devant votre conscience ! » Écoutez, Sophie, vous êtes impayable.

– Pourquoi pas ? Si je n'ai besoin de rien.

– Gardez-moi cela et, si possible, un échantillon de l'écriture usuelle de votre épistolier, comme vous l'appelez. Nous nous verrons bientôt.

J'aime bien rencontrer Maxime, mais ce qui concerne les lettres ne m'intéresse plus beaucoup. Dans une affaire comme celle-là, au fond, on s'imagine facilement qu'on est la cible d'un noir complot dont on ne connaîtra jamais les conjurés. Conjurés... je me retrouve dans Dumas qui en serait réjoui. Il découvrirait en même temps que moi qu'il s'agit d'un modeste comptable jaloux et misogyne.

– C'est pas tout ça, a soupiré Maxime quand il a eu l'enveloppe entre les mains, voilà pour le C et, je crois, pour le B en même temps. Mais le A ? Nous n'en avons plus de nouvelles. Je crains que nous n'ayons là un correspondant inconstant, le conjuré volage.

Céline s'est probablement répandue en papotages, ici et à l'extérieur où les choses n'ont fait que croître et embellir : j'ai eu la visite très courtoise, je le déclare, d'un policier qui voulait savoir s'il était vrai que j'avais reçu des menaces. Il m'a appris qu'il y a une « manière d'épidémie » de menaces, suffisante pour justifier une enquête. Plusieurs personnes ont logé des plaintes contre X pour menace et chantage. D'autre part, il avait entendu dire qu'ici... Mais oui, ici, dans ce lieu presque sacré ! Il a demandé des photocopies. Je ne voulais donner que celle du groupe A et il a accepté mes raisons. Il a compris, aussi, que ces lettres ne contenaient que des menaces vagues, allusions obscures. Pendant que nous parlions encore un peu, une secrétaire a frappé :

– Le courrier, madame, il y a une lettre personnelle qui a été décachetée.

Je veux dire le coupe-papier passé dans l'enveloppe.

J'ai pris la douzaine de lettres et les ai étalées sur ma table de travail. En effet, une « personnelle » que j'ai tout de suite regardée.

– Vous tombez bien, monsieur, celle-ci est justement du groupe A qui s'est fait plus rare et qui est sûrement plus importante. Les autres qui ont des écritures parfois parentes sont, je pense, insignifiantes, l'envie de déranger, d'intriguer en est le motif principal, c'est évident. Celle-ci est d'une écriture toute différente. Ce n'est que la deuxième fois qu'elle est employée. Elle n'est probablement pas le fait d'un francophone. Je ne crois pas non plus qu'il s'agisse de quelqu'un qui parle l'italien ou l'espagnol. Je verrais plutôt une des langues du Mittel-Europe. Vous permettez que je la lise.

J'avais failli dire « que je la lise en premier », puis j'ai rattrapé le mot prudemment. En dépliant le papier rayé, j'avais saisi au vol le mot « malade » qui m'avait mise sur mes gardes. Parmi d'autres propos, on m'écrivait : « Vous avez une personne malade en danger. » Je l'ai replié et glissé dans mon sac à main.

– Vous permettez que je la garde n'est-ce pas ? Mais je vous laisse l'enveloppe.

C'est le genre de propos qu'il faut dire avec assurance. Il a fait un sourire contraint, un élastique autour de la bouche, puis il a bafouillé quelque chose comme : « Je ne veux pas connaître vos secrets. »

– Il n'y a pas de secrets, mais je n'aimerais pas que vous voyiez les grossièretés que l'on me dit.

Je ne sais pas s'il m'a crue, là n'est pas l'important. Ce qu'il faut c'est d'avoir une réponse plausible.

Le téléphone sonne de plus en plus souvent. J'y suis habituée maintenant. Quand je lis « confidentiel » à l'endroit où devait paraître le nom du correspondant, au lieu de décrocher, je laisse sonner. Eh bien, il sonne jusqu'à trente ou quarante fois. Je m'en moque : je mets le gros coussin sur le téléphone, je vais m'asseoir dans la salle à manger et je n'entends rien. De plus, j'ai découvert sur mon appareil un bouton-poussoir qui indique LOW–HIGH. Il semble que cela existe sur tous les appareils, mais jamais je n'avais pensé à examiner le mien dans toute son intimité. J'ai décidé de ne pas me laisser affoler et j'ai poussé le bouton du côté LOW. Repos !

Cependant, quand j'ai trouvé, dans le courrier de la maison, une lettre adressée en lettres moulées, la colère, ou peut-être la peur a commencé à pointer. Je l'ai vue tout de suite derrière la porte – le facteur les glisse par le passe-lettres – et je me serais bien mise à jurer si je connaissais des jurons qui conviennent à la situation. Zut m'a semblé insuffisant, ce serait injurieux envers le sort. Enfin, je me sentais dans l'état de quelqu'un qui se répand en imprécations.

Assise dans le salon, je me suis calmée pendant une dizaine de minutes, respirations profondes, mains tendues sur les accoudoirs, tout le bataclan jusqu'à ce que le cœur retrouve son train-train ordinaire. Après quoi j'ai pris le chemin de la cuisine sans monter à l'étage. Quand le repas a été servi, je suis allée crier au pied de l'escalier : « Le dîner est servi. »

Il devait être à l'écoute, car il fut là en deux minutes. Nous nous sommes assis à nos places coutumières, en silence tout aussi coutumier. Subitement, il a éclaté de rire.

– Il y a quelque chose de drôle ?

– Tu as reçu une lettre qui t'a fait peur ? Tu trembles encore, une vraie mauviette. Nous traversons des temps difficiles. Il faut être prêt à tout.

– Est-ce que tu lis mes lettres ?

– Pas nécessaire. Ce genre de lettres s'écrit rarement pour annoncer un héritage.

– Tu sais que tu vas devoir partir.

– Bon ! J'irai ailleurs, dès ce soir si tu veux. Quand on ne veut pas de moi, je pars.

– Je n'ai plus jamais voulu de toi, mais tu étais si malade. À présent tu es mieux. Tu peux attendre à demain. C'est au petit matin que tu pars, toi.

– Ah oui ?

La conversation demeura ainsi suspendue jusqu'à la fin du repas. Il monta la dernière bouchée prise et je l'entendis longtemps remuer, aller, venir et même parler tout seul. Je ruminais ses derniers propos. Lui, partir ? Ce serait trop beau, je n'en croyais pas un mot.

J'étais fatiguée. Ces temps-ci, je travaille beaucoup sans avoir cet outil indispensable : l'esprit libre. Je crains les erreurs, j'en ai rattrapé quelques-unes juste à temps. Dès que le silence a été rétabli, là-haut, je suis montée. Avant d'éteindre, j'ai pris un cachet pour aider l'endormissement : je connais cette fatigue-là, elle me donne sommeil et m'empêche de dormir à la fois.

Que dire, maintenant ? Je dormais, je rêvais et mon rêve me ramenait dans un passé lointain, un passé amoureux oublié à l'état de veille. Cela m'arrive de temps en temps et d'être seule me réveille parfois assez tristement. Je n'étais pas seule. Il était bien tard pour m'en apercevoir. J'ai tenté, mollement peut-être, de le repousser.

– Laisse-toi faire, je ne te ferai aucun mal. Là, tu vois comme tu es heureuse.

C'était trop vrai. Je me suis rendormie comme on meurt.

J'ai rêvé tout cela, me suis-je dit, une fois bien éveillée, au matin. Non, sûrement pas, ce n'était pas un rêve qui me faisait le ventre réjoui, mais aussi l'esprit humilié. Je n'avais rien voulu. Rien ? Il me revenait d'avoir tenté, à moitié réveillée, de le retenir et de l'avoir entendu dire : « Laisse-moi partir. » Comment savoir ? C'était bien la honte qui prenait le dessus. Ma porte était seulement poussée. Sûrement avais-je omis de tourner la clef. Il n'avait aucun moyen d'ouvrir.

Je passai un long moment sous la douche – c'est ce que feraient toutes les femmes dans mon cas – mais que peuvent l'eau chaude et le savon pour défaire ce qui a été fait ? Pas plus que la réflexion pour démêler le vrai du faux.

Tout en m'habillant, je me préparais à l'affronter. Vain travail car je ne trouvais aucune façon de sauver la face si peu que ce soit. Faire celle qui aurait tout oublié en se rendormant ? Bien spécieux.

C'est avec précaution que j'ouvris pour faire le moins de bruit possible et sur le bout des pieds que je traversai le corridor. La porte de la chambre d'amis grande ouverte montrait le lit qui n'avait pas été défait et aussi une sorte d'ordre vide comme en ont les pièces inoccupées. La tête commençait à me tourner, elle est assez solide d'habitude, mais là j'avais un peu envie de m'évanouir. J'entrai, pour apercevoir sur l'oreiller un papier qui m'attendait. C'est bien là qu'on épingle le dernier message – il avait négligé de le faire la première fois – en partant vers son rêve. Trois mots : « Pardonnez-moi, madame. » Plus rien ne pouvait m'étonner, si ce n'est la réplique de ma clef dans le tiroir de la table de nuit.

J'ai une bonne santé. J'ai petit-déjeuné avec appétit tout en essuyant une petite larme sans trop savoir à quoi l'attribuer. Il était parti, c'était ce que je souhaitais, pas une larme pour ça. La surprise, oui ? Pourquoi pas la péripétie de la nuit à quoi, par moments, je n'arrivais pas à croire vraiment. J'en restais démontée. Absorbée par l'immédiat, je ne pensais plus à la conversation de la veille : « J'irai ailleurs, dès ce soir si tu veux – Tu peux attendre à demain. » Je ne l'avais pas oublié, je pensais à autre chose. Puis, cela me revint à mon grand déplaisir. Il fut un temps où tout le monde parlait sans cesse d'actes manqués. J'avais beau m'interroger, je ne trouvais aucune réponse dans le sens du désir inavoué, de la compassion tendre, non plus qu'un goût pour l'aventurier plus ou moins délinquant. Assaillie, j'étais restée sur le lieu de l'assaut sans effort pour me réveiller et fuir. Enfin, pensons à autre chose. À autre chose, mais où peut-il être allé ? A-t-il un point de chute en ville ? Y a-t-il risque qu'il revienne ? Avait-il à voir avec les lettres ? Bien mystifiée par ce qui m'arrivait, mais quoi, tout cela était déjà arrivé à d'autres femmes, tout est déjà arrivé, le revenant qui repart pour les mêmes raisons ou de nouvelles. Encore l'appel de l'errance, qui sait ? Ou parce qu'on n'a pas acquis ce qui retient loin de la mer, des îles, des tropiques, des déserts de sable ou de glace, des paradis et des enfers.

J'arrivai à la bibliothèque à l'heure et me mis au travail sans difficulté. J'avais rendez-vous avec le comptable et l'acheteur : un problème avec notre relieur habituel, tout un lot avarié on ne sait comment et chacun de se renvoyer la balle. De plus, les assureurs se font prier pour des raisons qui ne nous regardent pas. J'appréhendais cette rencontre assez difficile. L'acheteur, buté, voulait qu'on change de relieur et le comptable encore plus entêté s'y opposait. Je n'aime pas faire figure d'arbitre plutôt que de patron. Je craignais aussi de ne pas être au meilleur de ma forme, distraite, inquiète et encore bouleversée. Au bout d'un quart d'heure, je me rendis compte que j'arriverais à refouler ces préoccupations et que je tenais le coup, que la discussion restait celle que je voulais et que ce ne fut pas autre chose que le motif immédiat de notre rencontre qui soit réglé.

– Je voudrais vous parler d'Amable, me souffla le comptable avant de partir.

– Eh bien, restez un moment.

Sur quoi notre acheteur sortit.

– Il ne va pas bien, Amable ? Il vous fait des ennuis ?

– Non, pas vraiment, mais il a la tête de quelqu'un qui ne mange pas suffisamment, qui ne dort pas du tout, qui fume trop. Je pense qu'il a peur d'être mis à la porte. J'ai vu que les jours étaient barrés au fur et à mesure sur le calendrier de son bureau. Il y a d'écrit : « Encore un de sauvé. »

– Je lui ai pourtant dit qu'il n'avait pas à craindre d'être renvoyé à cause de cet incident.

– Bon ! On verra. Puis-je me permettre de vous complimenter pour la façon dont vous avez mené notre discussion. Tout le monde, ici, se félicite de vous avoir comme directrice... sauf Amable que cela humilie.

– Pauvre homme. J'aimerais connaître ses sœurs.

Sur cette réflexion à quoi il n'a répondu qu'en relevant les sourcils, on a frappé à la porte, le téléphone a sonné, j'ai dit « Entrez » et « Allo » du même souffle. Il était écrit que le déroulement de la journée ne me laisserait pas le loisir de penser à la nuit. Je n'y pensais pas, je sentais seulement une trémulation intérieure qui ressemblait à la fièvre.

Au moment de fermer, j'eus enfin le temps de penser à moi, ce fut pour me rendre compte que j'avais un peu peur de rentrer chez moi. Aller au cinéma, puis dîner au restaurant ? Pourquoi ? Pour rentrer à la nuit noire ? Rien que d'y penser j'avais les mains moites. Le matin, j'étais venue par l'autobus, ce soir je prendrais un taxi qui me laisserait à deux pas de ma porte. Un homme qui part une première fois en vous laissant blessée et la deuxième fois apeurée... j'avais tiré un faux numéro.

Devant ma porte, c'est Évariste Barois qui m'attendait. Il avait appelé une minute trop tard, j'étais déjà partie. Je n'ai pu m'empêcher de répondre : « C'est le ciel qui vous envoie. »

– Dans un mouvement de compassion, sans doute, dit Barois.

Le repos. Enfin ! Et pouvoir le goûter sans être sans cesse alertée par la sonnerie infernale. Je suis chez Évariste où personne ne saurait me rejoindre sauf Maxime. Depuis l'appel qui m'a éveillée, vers quatre heures du matin, le lendemain du départ de Gontran, ce sont mes premiers moments de tranquillité. J'aurai longtemps dans l'oreille la voix de cet annonceur de mauvaises nouvelles.

– Madame, vous êtes bien la directrice de la bibliothèque de la rue des Tilleuls ?

Malheureusement, c'était moi en effet !

– Il y a là un début d'incendie qui est presque maîtrisé, je vous le dis tout de suite.

J'ai reçu cela comme un direct à la mâchoire : à moitié K.-O. et c'est d'une voix atone – je m'en suis rendu compte quand mon interlocuteur m'a dit : « C'est tout l'effet que ça vous fait ? » – que j'ai demandé de quelle sorte d'incendie il s'agissait. Tout bêtement, je m'interrogeais, un fumeur et son mégot, le système électrique, la foudre.

– Ah ! Madame, de la sorte criminelle, on ne peut plus criminelle. Les deux lascars sont à l'hôpital. Des imbéciles ! Il y en a un qui n'en réchappera pas.

J'ai voulu savoir si les dommages sont importants. Pas tellement, dit-il, et circonscrits au bureau de la direction. Il m'a donné encore quelques renseignements, puis il m'a demandé de me présenter à l'hôpital au début de la matinée.

Dès six heures, c'est Évariste qui m'appelait pour m'offrir ses services puis un autre policier pour me dire qu'il fallait avertir toutes les stations radiophoniques que la bibliothèque serait fermée pour qu'elles en donnent l'avis, puis puis puis...

En me préparant, puis en me rendant sur les lieux, j'ai écouté la radio comme de raison et j'ai appris plusieurs choses. D'abord que les malfaiteurs ont pu pénétrer dans la bibliothèque par un soupirail entrouvert on ne sait pourquoi – je me le demande. Ensuite, que le système d'alarme, désuet paraît-il, a été facilement neutralisé. Le gardien de nuit a été retrouvé enfermé dans le vestiaire après avoir été tabassé et dépouillé de son téléphone portable. Toutes choses qui me seront reprochées, je l'imaginais sans peine. Un passant qui a vu les flammes par les fenêtres de mon bureau l'a tout de suite signalé sur son téléphone portable. Que faisaient donc les habitants de notre planète avant l'émergence de cet outil, comme dit Évariste ? Bref, ce n'est pas le moment de philosopher sur l'utilité de la technique actuelle.

À mon arrivée, j'ai pu voir les voitures de pompiers qui s'éloignaient tout au bout de la rue. Beaucoup de curieux faisaient le pied de grue sur le trottoir et certains de nos employés attendaient devant la porte. Ils insistaient pour m'offrir leurs services. On m'a laissé entrer avec mon assistant et, de toute évidence, nous n'aurions besoin pour le moment que d'une bonne équipe de nettoyage.

Mon bureau m'eut l'air bien abîmé et comme je me désolais, mon assistant qui était désolé aussi, mais peut-être moins affecté que moi :

– Les peintres peuvent remettre tout en état. Il n'y a que la moquette qui soit complètement ruinée. L'odeur de laine brûlée, et mouillée en plus, c'est presque intolérable. Il semble qu'ils ont voulu arroser d'essence et que l'un des deux s'y est pris gauchement et voilà ! On m'a dit que celui qui est gravement brûlé a été trouvé là précisément. L'autre avait pu s'éloigner et, je suppose, se rouler à terre pour éteindre les flammes.

– Comment expliquer ce méfait, s'attaquer ainsi à notre maison qui n'est pas de l'espèce Alexandrie, tout de même ? Et à mon bureau de plus !

– Pourquoi dites-vous Alexandrie ?

– Parce que... je vous expliquerai ça un autre jour.

Et puis on est venu dire qu'il fallait que j'aille à l'hôpital. Le policier veut que je voie les deux incendiaires. Pourquoi ? Comme si je pouvais reconnaître ces malfaiteurs. On m'a fait monter dans une de leurs voitures où la conversation a continué, pas de temps perdu !

– Y a-t-il quelque chose dans votre bureau qui puisse tenter des voleurs ?

– Non et pourquoi des voleurs mettraient-ils le feu ?

– J'ai pensé à quelques livres très rares...

– Ils auraient voulu maquiller le vol ?

– J'ai pensé aussi à une vengeance. Quelqu'un pourrait vous en vouloir ?

Nous arrivions à l'hôpital. Un policier montait la garde à la porte d'une chambre, mais c'est dans la chambre voisine qu'on nous a fait entrer. Dans le lit, une sorte de momie immobile dont les bandelettes ne laissaient voir du visage que les narines intubées et la bouche pareille à une mauvaise plaie. Le médecin qui nous accompagnait dit qu'il avait assisté au pansement des brûlures qui couvrait une bonne partie du corps.

– C'est un homme qui a subi des mauvais traitements. Il a plusieurs cicatrices importantes au dos. Cicatrices de l'épiderme, rien qui correspond à des opérations chirurgicales. C'est sûrement un chenapan.

– Est-ce qu'il survivra ?

– Non.

On a beau avoir toutes les raisons d'en vouloir à un homme qui a saccagé votre bureau, ce couperet qui tombait m'a glacée.

– Allons voir l'autre, proposa le policier.

Celui-ci était atteint au bas du visage, sous le menton, mais surtout aux bras, aux mains, aux pieds.

– Est-ce quelqu'un que vous avez déjà vu ? Je vous ai pas posé la question pour le premier, c'est évident, sous les pansements... il reste pas grand-chose de reconnaissable.

– Nous voyons tous beaucoup de gens à la bibliothèque. Je me demande si je ne l'ai déjà vu à la comptabilité ou à la réception.

– Il y aurait travaillé ?

– Sûrement pas.

Tout le temps que nous parlions de lui, je surveillais le visage du blessé, ce que nous en voyions. Je guettais le moindre mouvement involontaire des muscles. Il avait les yeux fermés, mais il ne dormait peut-être pas. S'il nous entendait, il avait une grande maîtrise de ses réflexes. Rien ne bougeait. J'ai interrogé le médecin qui m'a fait un geste d'ignorance. Je n'en pouvais plus.

– Avez-vous encore besoin de moi ?

– Je vais vous reconduire, mais pas à la bibliothèque. Moins il y aura de personnes, mieux ce sera pour la recherche des indices. Par les temps qui courent nous ne pouvons négliger rien de ce qui peut s'apparenter au terrorisme, quoique dans ce cas-ci, ces deux types qui laissent tomber l'essence sur eux plutôt que sur les plinthes, c'est d'une maladresse ! C'est comme s'ils avaient décidé de s'immoler par le feu chez vous.

Tous ces propos me mettaient mal à l'aise et cette dernière hypothèse me terrifiait.

– Je dis cela pour démontrer comme les choses ont été faites stupidement, au point de les rendre, au premier abord, incompréhensibles. Nous en saurons plus quand nous aurons interrogé le moins brûlé. L'autre ne survivra pas.

C'est ce qui se produisit et dont j'entendis l'annonce le soir à la télévision. On ajoutait que l'on n'avait pu me rejoindre pour connaître ma réaction, et pour cause !

En arrivant, je trouvai un mot d'Évariste, glissé par le passe-lettres.

« Si vous voulez, je vais vous chercher. Il ne faut pas rester chez vous, vous n'y prendriez pas une minute de repos. Apportez donc un sac de nuit, j'ai une chambre d'amis qui vous attend. Et vous auriez des nouvelles ici par la télévision. On n'en parle pas trop, avec les événements toujours catastrophiques de ces années-ci, une bibliothèque, vous comprenez, et un seul mort probable ! E. B. »

Il m'aurait fallu beaucoup de courage pour refuser et je n'en avais plus beaucoup. Je craignais seulement qu'on épie mes allées et venues – police, médias, que sais-je ? –, Évariste m'attendit donc derrière la maison. Comme nous disions après un mauvais coup « secret » : pas vu, pas pris, pas pendu !

La soirée chez Évariste fut tranquille. Maxime nous fit un bout de visite, et ce fut avec lui que nous entendîmes la nouvelle de la mort de l'incendiaire comme nous l'appelions avec un peu d'emphase.

– Ce n'était peut-être qu'un pyromane, finit par murmurer Évariste sur un ton inimitable.

La poussière a fini par retomber au fur et à mesure que les choses se clarifiaient, même si le seul être qui aurait pu donner la clef de cette énigme était mort. Cependant, j'ai le sentiment que tout n'a pas été dit, je n'ai pas grand mérite : le dossier n'est pas clos. Pour ma part, j'ai été amenée à beaucoup parler de ma vie, du personnel de la bibliothèque, de mes rapports avec lui. Un des interrogateurs – dites interviewer, m'a-t-il dit en souriant, c'est moins sévère – m'a demandé ce qu'il en était de ce mari qui m'était revenu, il y a quelques mois. La tournure de la phrase « m'était revenu » m'a fait tiquer, mais encore plus qu'on soit au courant de ma vie qui ne concernait pas la police, il me semble !

– Comment savez-vous cela ?

– Désolé, madame, mais nous sommes forcément au courant de toutes sortes de choses.

– Alors, vous savez qu'il est reparti.

Il a incliné la tête de façon ambiguë qui m'a paru signifier n'importe quoi entre « bien sûr, nous le savons » et « vous me l'apprenez, mais je ne le laisse pas voir » et même « je croyais que vous ne l'avoueriez pas ».

– Pourquoi n'en avez-vous rien dit ?

– Il ne s'agit pas d'un mineur en danger. C'est un homme libre, il va, il vient comme il l'entend. Je suis seule concernée et encore ! Je suis divorcée, vous savez ça aussi. Il a sûrement des raisons que j'ignore. Il s'ennuie peut-être, et puis c'est un malade.

– Avez-vous une idée de l'endroit où il est allé quand il est parti la première fois ?

– Je me souviens vaguement du Proche-Orient et de la Hollande, mais il se peut que ce soit tout autres lieux. Tout cela n'a rien à voir avec l'incendie de la bibliothèque. Pourquoi nous sommes-nous égarés de ce côté-là ?

Il s'est excusé en disant que l'habitude de poser des questions l'avait rendu curieux, et nous sommes revenus aux propos concernant l'incendie et la mort du coupable. Je n'avais rien de nouveau à lui apprendre. Lui en connaissait plus qu'il n'en avait dit. Ceci, toutefois, qui ne m'a pas étonnée, mais qui est quand même intéressant : on a trouvé dans les vêtements du chenapan un étui qui contenait plusieurs cartes d'identité à des noms différents, nationalités différentes. Seulement une canadienne, deux italiennes, une anglaise, etc., toutes fausses naturellement, certaines simplement trafiquées.

– Vous aurez de la difficulté à trouver son identité réelle parmi toutes les fausses. Elle n'y est sans doute pas.

– C'est ce que je crois. S'il est permis de croire quelque chose au milieu des circonstances. Vous savez, il y a un certain nombre d'incendiaires connus, répertoriés.

– Vous avez trouvé des indices ?

– Justement pas du tout. Nos recherches ne sont pas terminées. Nous avons pris l'empreinte des dents et nous avons alerté quelques dentistes.

– Tous les dentistes ne prennent pas d'empreintes systématiquement, pas le mien en tout cas.

– Est-il jeune ? Parfois les vieux dentistes ne le font pas.

– Mais le docteur Anselme n'est pas un vieux ! Je ne voudrais pas. J'aurais peur qu'il n'ait pas la main sûre.

Nous avons encore parlé un bon moment, souvent de choses qui ne concernaient en rien le motif de notre rencontre et même si je me demandais in petto si tout ce que je disais était écouté innocemment. En partant, il m'a dit qu'il souhaitait me revoir à l'occasion, qu'il aimait parler avec moi. Oui... un de ces jours, c'est-à-dire la semaine des quatre jeudis.

J'ai rejoint Évariste qui viendra dîner avec moi. J'avais passé la semaine chez lui, ce qui m'a permis de me reposer en attendant que mon bureau soit remis en état. Cela m'a permis aussi de le mieux connaître et même un peu plus, car il y a maintenant entre nous une amitié amoureuse qui m'a l'air de se développer très agréablement.

Cependant, tous les jours, je suis passée prendre mon courrier. Le travail, quel qu'il soit, c'est comme les gammes du pianiste. Il faut les faire tous les jours, autrement, le mouvement se rouille. Il y a des matins où je me dis que j'ai perdu l'étincelle. Quand j'ai dit cela à Évariste il a répondu : « À cause de l'incendie ? Tu veux rire. »

Parce que cette affaire a attiré la curiosité sur la bibliothèque et sur moi du même coup, j'ai eu ces jours-ci plusieurs propositions : diriger une grande librairie qui doit se construire à l'est de la ville – c'est non : je connais les livres, mais je ne saurais en vendre –, ouvrir une bibliothèque pour enfants dans un quartier populaire, en relancer une dans une petite ville du nord, celle-ci ne vaut pas la peine qu'on s'y arrête, remonter une bibliothèque et, en même temps, défendre ma position d'émigrée ou de rapportée comme on dit souvent quand on ne veut pas d'étranger qui prenne les places, c'est trop de travail inutile. Tout ça parce qu'un malandrin a eu la tentation de satisfaire ses phantasmes chez nous.

– Je ne crois pas que ce soit des phantasmes, m'a dit mon interrogateur lors d'une visite qu'il me fit dès mon retour à mon bureau remis à neuf. J'ai découvert que l'homme était affilié à un drôle de groupe qu'on pourrait dire de petit banditisme, en attendant de monter en grade, mais peut-être plus important que je ne le crois, et qui compte plusieurs jeunes dont on exige une action d'admission qui s'accomplit en compagnie d'un plus âgé. Un peu comme dans ces groupes d'adolescents où on exige d'un de ses membres de livrer sa propre sœur ou sa fiancée à ce qu'ils appellent une « tournante ». Dire non est dangereux, je vous l'assure.

– J'ai entendu parler de ces jolies réjouissances. Mais pourquoi ma bibliothèque et mon bureau ?

– Il y a certaines coïncidences qui m'ont intrigué. Pas vous ? Non ? Vraiment pas ? Si je vous disais que j'ai pensé à celui qui s'est planqué chez vous pendant quelques mois. Je dis planqué parce que je crois que c'est de ça qu'il s'agit. Vous l'avez accueilli par compassion, en souvenir du passé. Lui était là pour se cacher.

– Ce n'est pas possible. Cet homme malade ?

– Malade ? À son arrivée, oui. Gravement épuisé, on peut dire cela. Par après, ce serait plutôt « malade le jour, un peu mieux portant la nuit ».

– J'ai eu certains doutes là-dessus. Vous le surveilliez depuis longtemps ?

– Pas du tout. Ce sont des choses que j'ai apprises après sa mort, par son comparse, par d'autres aussi.

C'est peu de dire que j'étais atterrée. C'était déjà suffisant comme révélation, j'avais recueilli un malfaiteur sans savoir, bon ! C'était une chose, mais il y en avait une autre – si bien refoulée au plus loin de ma conscience, de quoi j'avais réussi à ne me souvenir que très peu et même à me persuader que j'avais rêvé presque toute la péripétie : « Il ne m'est pas arrivé tout ça, je dormais » –, une autre qui me revenait brutalement et qui rougissait tout mon visage et peut-être bien mes épaules, ma poitrine, qui sait ? Il ne me venait pas un seul mot. À lui non plus, pour l'instant. Puis, tout doucement, pour me laisser le temps de me calmer, il s'est mis à raconter ce qu'il avait découvert. J'ai remarqué qu'il n'employait pas les mots « votre ex-mari » mais seulement le pronom « il ». J'ai appris, par exemple, qu'il n'était pas allé loin en partant de chez moi, à l'autre bout de la ville seulement, où il avait passé deux jours, tant pour l'immédiat ; que le comparse, lui, était connu depuis longtemps ; qu'ils avaient eu un complice dans la place ; qu'il s'agissait de faire un mauvais coup. Et puis, là, petite hésitation, comme il est naturel avant de lâcher le gros morceau :

– Selon toutes les apparences, c'est volontairement qu'il a renversé l'essence sur lui, le comparse n'en ayant reçu qu'une petite partie. En somme, il est allé s'immoler par le feu, comme on voit à la télévision, dans votre bureau au lieu d'y faire ce qu'il devait parce qu'il refusait de le faire, peut-on supposer. Disons aussi, en passant, que tout ce groupe consomme des substances fichument nocives et qu'ils ont besoin d'argent. Pour l'instant, petits larcins, effractions sans danger dans de riches demeures pour une fin de semaine inoccupées, sacs de voyage subtilisés dans les aéroports, tout ceci pour les « apprentis » qui passeront au plus sérieux après.

Il me dit ça d'un ton neutre, calme. Je suis bouleversée, il le voit bien, l'estomac qui se tord, très inquiète aussi.

– Est-ce que je peux être ennuyée, avoir à témoigner, interrogée par d'autres que vous ?

– Si on découvre qui est le complice, peut-être. Autrement, je ne pense pas.

Nous en étions là quand son téléphone portable a sonné. Malgré la déplaisante situation, je n'ai pu m'empêcher de sourire : je ne m'habitue pas à ces personnes dont les poches de veston sonnent. Leur conversation fut brève.

– Il s'est jeté du haut du pont. Mais le comparse, voyons ! Il s'est échappé de l'hôpital aussitôt ses pansements enlevés. Il s'est rendu au pont directement et s'est jeté de la travée centrale... Aucune chance ! De cette hauteur ! Pauvre garçon, ses révélations lui coûtent cher.

– Tout cela est donc bien grave ?

– Grave ? Des affaires de petits caïds, mais qui veulent jouer les grands. C'est assez fréquent et parfois assez dangereux. Il faut réussir son coup et surtout ne pas parler. Autrement, on est déshonoré et l'honneur de ces gens-là, il est assez spécial ! Au téléphone, on m'a dit aussi que là où on avait repéré leur groupe, il n'y a plus personne, même pas un mégot. Ils ont dû laver les poignées de porte avant de déguerpir. Quand ils sont au pied du mur comme cela, chacun retourne dans sa famille qui ne se doute de rien naturellement.

J'ai recommencé à travailler, fort heureusement avec toutes ces révélations qui m'arrivaient comme autant de tuiles. Le travail m'empêche de ruminer. Maxime n'est pas tranquille depuis qu'il a appris le dernier avatar de l'aventure. Il vient me chercher à ma sortie de la bibliothèque. Ou bien, c'est Évariste qui s'en charge et qui a manifesté le désir de voir la chambre d'amis. J'en avais fermé la porte et n'y étais guère entrée depuis « la disparition ». J'ai eu un choc en constatant que le papier sur l'oreiller n'était plus là. Depuis quand ?

– Tu l'as probablement enlevé dès le premier jour. Tu étais bouleversée, apeurée aussi.

C'est, ma foi, possible. J'arrive à me convaincre que j'ai rêvé la nuit où il est parti. Il est mort, maintenant, je suis seule à oublier, c'est plus sûr.

À la fin, je me suis mise à vraiment penser à tout autre chose. Évariste m'a demandé d'aller vivre avec lui. « Prends le temps de réfléchir, ma chérie », m'a-t-il dit, généreusement. « C'est tout réfléchi. »

Il fait celui qui a peur et fait « ah ! » en portant la main à son cœur.

– Tu peux avoir peur – c'est oui. J'ai fait une semaine de noviciat, je peux prononcer mes vœux.

– Ah ! Quand on a été élevée chez les sœurs !

C'est un soir où nous parlions sagement d'avenir en préparant le dîner, des choses à faire avant mon déménagement, vendre ma maison ou la louer, disposer des livres qui se trouvaient en double, que mon interrogateur a sonné. Je ne l'avais pas vu depuis un long moment. Pour moi, toute cette sombre affaire était classée, faute de survivants.

– Tant qu'une affaire n'est pas complètement éclaircie, on ne peut pas dire qu'elle est classée, sauf si elle devient très ancienne.

Tiens donc ! Dit-il cela juste pour parler ou s'il a un motif précis ? Il parle encore un peu de ceci, de cela, puis :

– Est-ce que vous auriez encore un objet ayant appartenu à votre mari avant son départ il y a six ans ou sept ans, je ne sais pas, une paire de gants, une mèche de cheveux. Oui ?

– Et pourquoi voulez-vous cela ?

– Nous venons de recevoir un courrier provenant d'Israël. Nous allons devoir faire une recherche de l'ADN.

Québec, le 30 novembre 2003

Romans parus à L'instant même :

La complainte d'Alexis-le-trotteur
de Pierre Yergeau
L'homme à qui il poussait des bouches
de Jean-Jacques Pelletier
Les étranges et édifiantes aventures d'un oniromane
de Louis Hamelin
Septembre en mire de Yves Hughes
Suspension de Jean Pelchat
L'attachement de Pierre Ouellet
1999 de Pierre Yergeau
Le Rédempteur de Douglas Glover (traduit de
l'anglais par Daniel Poliquin)
Un jour, ce sera l'aube de Vincent Engel
(en coédition avec Labor)
Raphael et Lætitia de Vincent Engel
(en coédition avec Alfil)
Les cahiers d'Isabelle Forest de Sylvie Chaput
Le chemin du retour de Roland Bourneuf
L'écrivain public de Pierre Yergeau
Légende dorée de Pierre Ouellet
Un mariage à trois de Alain Cavenne
Ballade sous la pluie de Pierre Yergeau
Promenades de Sylvie Chaput
La vie oubliée de Baptiste Morgan
(en coédition avec Quorum)
La longue portée de Serge Lamothe
La matamata de France Ducasse
Les derniers jours de Noah Einsenbaum
de Andrée A. Michaud
Ma mère et Gainsbourg de Diane-Monique
Daviau

La cour intérieure de Christiane Lahaie
Les Inventés de Jean Pierre Girard
La tierce personne de Serge Lamothe
L'amour impuni de Claire Martin
Oubliez Adam Weinberger de Vincent Engel
Chroniques pour une femme de Lise Vekeman
Still. Tirs groupés de Pierre Ouellet
Loin des yeux du soleil de Michel Dufour
Le ravissement de Andrée A. Michaud
La petite Marie-Louise de Alain Cavenne
Une ville lointaine de Maurice Henrie
À l'intérieur du labyrinthe de Vincent Chabot
La désertion de Pierre Yergeau
Des clés en trop, un doigt en moins
de Laurent Laplante
La brigande de Claire Martin
Mon voisin, c'est quelqu'un de Baptiste Morgan
(en coédition avec Fayard)
Le Siège du Maure de Louis Jolicœur
L'ange au berceau de Serge Lamothe
Banlieue de Pierre Yergeau
Hôtel des brumes de Christiane Lahaie
L'imaginaire de l'eau de Danielle Dussault
Orfeo de Hans-Jürgen Greif
Il s'appelait Thomas de Claire Martin
Cavoure tapi de Alain Cavenne
Passer sa route de Marc Rochette
Le cercle parfait de Pascale Quiviger
Nulle part ailleurs de Sabica Senez

Recueils de nouvelles parus chez le même éditeur :

Parcours improbables de Bertrand Bergeron
Ni le lieu ni l'heure de Gilles Pellerin
Mourir comme un chat de Claude-Emmanuelle Yance
Nouvelles de la francophonie de l'Atelier imaginaire (en coédition avec l'Âge d'Homme)
L'araignée du silence de Louis Jolicœur
Maisons pour touristes de Bertrand Bergeron
L'air libre de Jean-Paul Beaumier
La chambre à mourir de Maurice Henrie
Circuit fermé de Michel Dufour
En une ville ouverte, collectif franco-québécois (en coédition avec l'Atelier du Gué et l'OFQJ)
Silences de Jean Pierre Girard
Les virages d'Émir de Louis Jolicœur
Mémoires du demi-jour de Roland Bourneuf
Transits de Bertrand Bergeron
Principe d'extorsion de Gilles Pellerin
Petites lâchetés de Jean-Paul Beaumier
Autour des gares de Hugues Corriveau
La lune chauve de Jean-Pierre Cannet (en coédition avec l'Aube)
Passé la frontière de Michel Dufour
Le lever du corps de Jean Pelchat
Espaces à occuper de Jean Pierre Girard
Bris de guerre de Jean-Pierre Cannet et Benoist Demoriane (en coédition avec Dumerchez)
Je reviens avec la nuit de Gilles Pellerin
Nécessaires de Sylvaine Tremblay
Tu attends la neige, Léonard ? de Pierre Yergeau

Détails de Claudine Potvin
La déconvenue de Louise Cotnoir
Visa pour le réel de Bertrand Bergeron
Meurtres à Québec, collectif
Légendes en attente de Vincent Engel
Nouvelles mexicaines d'aujourd'hui, traduites de l'espagnol et présentées par Louis Jolicœur
L'année nouvelle, collectif (en coédition avec Canevas, Les Éperonniers et Phi)
Léchées, timbrées de Jean Pierre Girard
La vie passe comme une étoile filante : faites un vœu de Diane-Monique Daviau
L'œil de verre de Sylvie Massicotte
Chronique des veilleurs de Roland Bourneuf
Gueules d'orage de Jean-Pierre Cannet et Ralph Louzon (en coédition avec Marval)
Courants dangereux de Hugues Corriveau
Le récit de voyage en Nouvelle-France de l'abbé peintre Hugues Pommier de Douglas Glover (traduit de l'anglais par Daniel Poliquin)
L'attrait de Pierre Ouellet
Cet héritage au goût de sel de Alistair MacLeod (traduit de l'anglais par Florence Bernard)
L'alcool froid de Danielle Dussault
Ce qu'il faut de vérité de Guy Cloutier
Saisir l'absence de Louis Jolicœur
Récits de Médilhault de Anne Legault
Аэлита/Aélita de Olga Boutenko (édition bilingue russe-français)
La vie malgré tout de Vincent Engel
Théâtre de revenants de Steven Heighton (traduit de l'anglais par Christine Klein-Lataud)

N'arrêtez pas la musique ! de Michel Dufour

Et autres histoires d'amour... de Suzanne Lantagne

Les hirondelles font le printemps de Alistair MacLeod (traduit de l'anglais par Florence Bernard)

Helden/Héros de Wilhelm Schwarz (édition bilingue allemand-français)

Voyages et autres déplacements de Sylvie Massicotte

Femmes d'influence de Bonnie Burnard

Insulaires de Christiane Lahaie

On ne sait jamais de Isabel Huggan (traduit de l'anglais par Christine Klein-Lataud)

Attention, tu dors debout de Hugues Corriveau

Ça n'a jamais été toi de Danielle Dussault

Verre de tempête de Jane Urquhart (traduit de l'anglais par Nicole Côté)

Solistes de Hans-Jürgen Greif

Haïr ? de Jean Pierre Girard

Trotski de Matt Cohen (traduit de l'anglais par Daniel Poliquin)

L'assassiné de l'intérieur de Jean-Jacques Pelletier

Regards et dérives de Réal Ouellet

Traversées, collectif belgo-québécois (en coédition avec les Éperonniers)

Revers de Marie-Pascale Huglo

La rose de l'Érèbe de Steven Heighton (traduit de l'anglais par Christine Klein-Lataud)

Déclarations, collectif belgo-québécois (en coédition avec les Éperonniers)

Dis-moi quelque chose de Jean-Paul Beaumier
Circonstances particulières, collectif
La guerre est quotidienne de Vincent Engel (en coédition avec Quorum)
Toute la vie de Claire Martin
Le ramasseur de souffle de Hugues Corriveau
Mon père, la nuit de Lori Saint-Martin
Tout à l'ego de Tonino Benacquista
Du virtuel à la romance de Pierre Yergeau
Cette allée inconnue de Marc Rochette
Tôt ou tard, collectif belgo-québécois (en coédition avec les Éperonniers)
Le traversier de Roland Bourneuf
Le cri des coquillages de Sylvie Massicotte
L'encyclopédie du petit cercle de Nicolas Dickner
Métamorphoses, collectif belgo-québécois (en coédition avec les Éperonniers)
Les travaux de Philocrate Bé, découvreur de mots, suivis d'une biographie d'icelui, collectif
Des causes perdues de Guy Cloutier
La marche de Suzanne Lantagne
Ni sols ni ciels de Pascale Quiviger
Bye-bye, bébé de Elyse Gasco (traduit de l'anglais par Ivan Steenhout)
Le pharmacien de Sylvie Trottier
Dangers, collectif belgo-québécois (en coédition avec Images d'Yvoires)
Nouvelles mémoires de Marie Claude Malenfant
Peaux de Marie-Pascale Huglo
Vers le rivage de Mavis Gallant (traduit de l'anglais par Nicole Côté)
Pornographies de Claudine Potvin

Clair-obscur, collectif belgo-québécois
(en coédition avec Images d'Yvoires)
Arrêts sur image de Lise Gauvin
Mémoire vive de Maurice Henrie
Le dragon borgne de Gérard Cossette
Carnet américain de Louise Cotnoir
La route innombrable de Roland Bourneuf
Trois filles du même nom de Suzanne Lantagne
Les noces de vair de Jean-François Boisvert
Ï (i tréma) de Gilles Pellerin
Les Baldwin de Serge Lamothe
La Mort ne tue personne de France Ducasse

ACHEVÉ D'IMPRIMER
EN MARS 2004
SUR LES PRESSES DE AGMV-MARQUIS
MONTMAGNY, CANADA